U0283021

未读 ADR | 探索家

前言　物理学中的黑概念

黑暗，构成了一个世界。
——亨利·米修[1]，《杂乱的无限》（*L'Infini turbulent*）

物理学中有很多与黑暗相关的概念，比如“黑色的夜空”“黑体”“黑洞”“暗物质”“暗能量”，正是黑暗勾起了我们的求知欲。我们两个，一个物理学家，一个哲学家，之所以会合作，是因为科学概念上的“黑”既有教育意义，又发人深思。为什么物理学家认为需要“黑化”这

1　亨利·米修（Henri Michaux，1899—1984），法国诗人、画家。其诗歌直接呈现个体的潜意识与神话原型，语言不再是表达或修饰的工具，而成为映射另一种维度存在的镜子。——译注（如无特殊标注，文中注释皆为译注。）

些概念？这个从普通语言中借用的词是什么意思？它对科学语言的制定是无足重轻且无甚影响，还是其中隐约包含着某种隐喻？总之，物理学中的黑概念会因为它们的“黑”而拥有特殊性吗？对于构想出这些黑概念的人来说，“黑”在我们这个时代的科学文化中又意味着什么呢？

尽管笔者非常欣赏安德烈·弗朗坎[1]的黑色幽默代表作《黑思想》，但是我们的书并不会涉及神经衰弱的物理学家们脑中阴郁的反复思考，而是关于“黑化”一些现象而产生的物理概念及其特殊性的反思。这种“黑化”是否意味着这些概念是相关的呢？但至少有一个值得注意的事实存在，而且应该为它写本书，那就是：这些概念都与过去或者现在的重要科学谜团有联系。几百年来，黑色的夜空让天体物理学家们魂牵梦萦；

1　安德烈·弗朗坎（André Franquin，1924—1997），比利时著名漫画家。其代表作《黑思想》是一部黑色幽默连环画集。书中探究了抑郁和恐怖的幻想，并且图都是用黑白两色所画。

黑体辐射之谜是量子力学的起源；黑洞理论极具特殊性，在人们发现它的效应之前，天体物理学家就已经为之兴奋；暗物质是解决星系和星系团运动异常的假说；而暗能量则可以解释宇宙加速扩张的原因！关于这些黑概念存在进一步思考，然而这些可能和它们的黑化并没有直接关系。

黑，一定是因为光的完全缺失。但是在物理学中，黑却有特殊的意义。黑体并不一定是黑色的，黑洞也与颜色无关：它只是无法被看到。黑被归类为肉眼无法观察到的物理现象，这个特点因现象而异——天空的黑和暗能量的黑不同，但是观察的难度也会严重影响归类的结果。一个概念被定义为黑并不是偶然的。在科学语言中，形容词“黑”上发生了一个被加斯东·巴什拉[1]称为“语义革命”的变化：它的意思改变了。它的

1　加斯东·巴什拉（Gaston Bachelard，1884—1962），法国哲学家、科学家、诗人，代表作《梦想的诗学》《火的精神分析》《科学精神的形成》等。

原始含义被提纯了，被重新定义了，这样它就只被用来表达物理学家需要它表征的对象属性了。于是，黑不再是一种颜色，而是成了一个单义的科学术语。

其实，这是科学家努力想要达到的结果。

必须承认，由于某个词语在普通语言中已经具有了含义，因此这样的发源总会留下痕迹，它会默默影响科学的表达方式，也会带给这种表达方式一丝隐喻的意味。就好像物理学家关于黑概念的学说都有一个黑色影像的光圈如影随形。在物理学家做论证时，他必须摆脱这些黑色的影像，才能使自己的理论建立在清晰和鲜明的概念与精细的公式和算法上，可是这并不表示这些黑色的影像不存在，它们必定存在于物理学家无尽的遐想中。因此为了理解这些黑概念，不仅需要分析物理学是如何把“黑”这个形容词的字面意思，做了深刻的变化，还要阐释这个既可以表颜色的形容词，又可以用作科学短语的词汇是如何获得这些含义的。每一个黑概念都对应着一个黑色的图像（或影像），就像是通过语言将影子投射在想象中一样。掌握这些黑概念的物理学家可以不去理会这些黑色的图像，但这恰好证明他必须在这些图像干扰科学思维的时候将它们摆脱掉，或者在被它们激发起好奇心时将它们升华。因为我们无法用这些图像来完成推理，但是也无法将思维和图像完全分离。我们不能将二者混淆，也不能将它们错误地融为一体，于是我们决定在这本书中，既从认识论和历史角度分析这些黑概念的科学含义，同时也探索黑色图像的象征意义。

与此同时，我们会继续加斯东·巴什拉的研究。巴什拉是第一个将认识论分析与心理学分析的一种特殊形式相结合，并使用这种分析方法的人。1938 年，他出版了两部既不相同又互为补充的著作:《科学精神的形成》和《火的精神分析》(全书名为《火的客观意识的精神分析》)。在《科学精神的形成》中，他解释了科学精神必须首先克服“认识论障碍”，因为它们会妨碍和阻止科学精神对现象进行精密的思考，这些障碍往往只是普通语言所建立起来的想象。在《火的精神分析》中，他研究了一些与火相关的图像来证明它们之间的关联并不是随机的：它们之间的联系方式虽然与逻辑关系完全不同，却是非常精确的。在这位著名先驱的启发下，我们首先要点明物理学中每一个黑概念的含义，以及与这些概念相应的黑色图像的含义，留待读者来判断这些学术上的含义与隐喻的含义是否不可分割、相互补充或者相互交错。但是，在开始从黑色的夜空到暗能量的旅程之前（我们还会谈到黑体、黑洞和暗物质），我们先试着确定一下物理学中“黑”字在研究者脑中的笼统含义，以及“黑”字在诗人和幻想者的脑中会产生什么样的图像。

*

为什么物理学会将一些物质看成黑色的呢？为了回答这个问题，我们首先要知道“看”在物理学中是什么意思。长久以来，物理学家不再通过自己的肉眼感觉来观察现象，而是使用工具：从伽利略的天文望远镜到各种显微镜、分光镜，再到最近的粒子加速器。这些探测仪器可以让我们与一些本来无法感知到的现象进行互动。著名的“观察者”就是一个机器。科研人员会首先介入，做出预测，准备实验并校准探测器，在观察之后，说明结果，纠正自己的假说，并得出必要的结论。可是，在观察期间，技术才是最重要的。为了强调技术干预的重要性，巴什拉创造了一个新词——“现象技术”（《新科学精神》，1934 年）。这个混合词是将现象与技术联系在了一起，它意味着，从此以后，“现象”的意思发生了变化。它的传统定义是“主动展现给大家看的东西”，而科学现象不是“主动展示”，它是通过实验建立起来的。亚里士多德是绝不会做实验的，因为这是对大自然的侵犯。19 世纪，实证主义者们依然将实验作为检验先验现象的衡量标准，然后试图用数学规律对现象进行描述。在当代科学研究中，“新的现象不是简单地被发现，而是被创造，被一点一点建立起来的。”（《研究》，19 页）研究者不是观察“事实”，而是根据理论的数学结构，通过使用高精准的技术来创造“效果”。因此，“看”意味着在物理理论的基础上创造现象技术，而这个现象技术（可能）会使一些新的甚至预想不到的现象显现出来。

乍一看，这样的观察方式只适用于粒子物理学这样的实验科学，而不适用于天文学这样的观测科学，因为在观测科学中，我们无法按照自己的意愿创造现象。然而，现象技术不只应用于粒子加速器，也出现在天文观测台。研究者们通过信号来观察宇宙，这些信号有时很微弱，它们的波长不在可见光谱的范围内，甚至是靠光子以外的其他粒子来传播的。研究者的仪器可以让我们看到肉眼不可见的现象。基于抽象的假设和复杂的运算，天文学家制造出一些高端的仪器来搜集隐藏于其他波长中的信息。“看”的含义始终是“与现象进行互动，对这个互动进行测量并从中获得与现象相关的信息”。第一个信息的传播媒介是光，科学家自然而然地在他们的非正式语言中保留了和视觉相关的词汇。然而大部分的时间里，被研究的现象不是与光、声波或中微子相互作用，而是与其他频次的电磁波相互作用。即使光不再参与互动，现象技术也必须能够接收和计量与被观测的系统互动时所产生的信息。

现在，我们已经确定了“看”对于一个物理学家意味着什么，那么我们就能毫不费力地猜出他赋予“黑”的含义：基本上，就是他看不到或者看不清的东西。在物理学中，黑代表抵抗探测的物质，不会和电磁波相互影响的物质，或者该物质与电磁波以某种方式发生互动，而以我们目前拥有的现象技术无法接收到相关信息。黑色天空的谜团已经用它自己的方式提出了疑问：恒星的光本应该从各个方向到达我们的眼中，可我们为什么却感知不到呢？黑体将所有的电磁波吸收却不发出任何反射；黑洞是一个实心的天体，这所有人都知道，它使光线无法逃脱引力的影响（物质自然也一样）；暗物质是一个关于物体质量与光线不会相互影响的假设；最后，暗能量可能是最晦涩的概念：它不仅无法被观察到，而且还可能是对抗万有引力的一个力量来源。

所有这些黑概念，虽然混杂，但从概念层面讲，总和“黑”或“暗”有一些关联：它们被应用在物理学家无法看到的现象上。在这本图文结合的书中，我们要强调指出的是，这些黑概念生发出了一些问题，而这些问题是我们正在试图了解或者还无法弄清楚的。它们的情况难以阐明：这究竟是事实，还是暂时无法证实的理论可能，抑或只是空想？

*

除了关于黑概念的认识论分析，我们还将使用“黑暗的精神分析法”。在《火的精神分析》一书中，巴什拉发明了一种新型的、独特的精神分析法。这种方法不是要记录一个静止地搁在沙发上的火焰的秘密，而是要统计火的形象和象征，因为自远古以来，火激发了人类无穷的想象，火的破坏性也阻碍了人类的认知。巴什拉的精神分析法旨在荡涤束缚科学精神的形象。因为火的古老形象并不是客观的。这些形象阻碍了人类对燃烧现象的理解。为了摆脱束缚，科学精神始终需要对抗自身的自然倾向，比如它会把一种物质归于热量，再将热量理解为一种微妙的气体。巴什拉希望将我们的精神从这些给我们造成混乱的形象中解放出来。在这里我们强调，巴什拉的这个计划是有悖传统的，而它很快就会被一些更加精妙、更加形象的分析所取代。因为，这位来自奥布河畔巴尔地区的哲学家最终会被自己所研究的隐喻的魅力深深吸引。他乐此不疲地详尽地描述火焰的形象，宣称要把我们从火奇怪的“复杂”中解放出来。

我们也想本着这样的精神做研究，尽可能使

黑色形象的学术特征（目的是让每一个遐想都明确意识到想象对理念的扭曲，即使这想象因理念而生）和自由联想的荒谬特点（目的是让遐想保有自发性。遐想不是理念的仿制品，而是我们的文化共鸣的结果）两者之间达成平衡。

尽管如此，人们可能会考虑“黑”是否契合这个研究。在巴什拉看来，火因其在人类进化中扮演着至关重要的角色，是集体想象中至关重要的元素。那对于“黑”来说，情况相同吗？巴什拉还写过其他一些关于火的诗集，以及关于水、空气、土的作品。他以此证实了一个观点，那就是只有用于炼金术的四种元素（空气、水、火、土）是构成集体想象的最重要物质。然而仔细想来，这个论点是武断的。如果火的形象是从人类能够使用火的那一刻开始根植于集体想象中的，那么在此之前，夜晚的黑暗笼罩了我们那么久，我们又该如何描述这个更加古老、更加强大的形象呢？

巴什拉在他的《水与梦：论物质的想象》中

研究了“黑水”的形象，他自己也做出了这样的思考：如果黑水的形象是融合了水和夜晚的形象，那么岂不是应该承认夜晚和水一样，是原始而深刻的想象实体吗？

> 当我们要对水与夜的结合发表一些见解时，似乎与我们关于物质想象的总的观点相违背……然而，物质的遐想是如此自然，如此不可抗拒，以至于想象通常会接受这个梦幻，这个出现在积极的夜晚、深邃的夜晚、潜进的夜晚、进入各种事物中去的夜晚的梦幻。此时，夜不再是一位蒙着黑纱的女神，也不再是帷幕，遮挡着大地和大海；夜是夜晚，夜是一种实体，夜是夜间的物质。物质的想象控制着夜。正如水是最适合用来混合的实体，夜会深入水里，使湖底失去光泽，会浸润池塘。有时，夜的渗透是如此深入，如此隐秘，以至于在想象中，池塘在白昼依然保留了一点夜间物质，一点实体性的黑暗。（《水与梦》，*137* 页）

我们接受这个假设：所有的黑色形象都拥有

它们各自的特殊性，这个特殊性源自黑概念在想象中的转换，但是这些黑色形象都具有同一个想象元素的性质，即我们称之为“黑暗”的夜晚物质。

由于巴什拉感受到了黑暗元素的丰富和强大，他甚至创立了一个系统研究黑色形象的项目：“如果我们能将所有的黑色形象集中并分类，我们想象可以整理出很好的文学素材……”（《土地与对静息的遐想》，1948 年，90 页）。他虽然没有完全考虑过将物理学里的黑概念当作遐想的动机，可却注意到了和这些概念相符合的众多黑色形象的特殊性：布满星星的夜空的**透明的**黑，身体**内部的**黑，旋涡**令人眩晕的**黑，炼金术士在黑暗中完成的作品所包含的**可变的**黑，黑暗中隐藏的**神秘的**黑。他的这些直觉先于我们的研究，我们发现，在我们始于物理学的遐想和他始于文学素材的遐想之间存在着共鸣。当然，我们不会仅仅局限在这种共鸣中，我们将探索我们的文化带来的所有相关启示。

Part 1

A 黑色的夜空

夜晚，只是对于我们是夜晚，
因为我们的眼睛是黑暗的。
——勒内·巴雅维尔[1]，《月下的哥伦布》（*Colomb de la lune*）

远离大城市和它的灯光污染，夜晚的天空呈现出深邃的黑色，星星点缀其中。没有人会认为这种说法奇怪：夜晚是黑色的，因为太阳落山了。白天万里无云的天空呈现出蓝色，它的光完全淹没了恒星微弱的光；而到了晚上，地球的大气层便不再呈现这种蓝色。直到发现夜空是黑色

---

1 勒内·巴雅维尔（René Barjavel，1911—1985），也译作赫内·巴赫札维勒。法国作家、记者、评论家，是首位提出时间旅行中祖父悖论的科幻作家。代表作有《冰人》《不小心的旅行者》等。

的，天文学家约翰尼斯·开普勒（1571—1630）才第一次认识到宇宙学的意义。开普勒支持哥白尼的日心说，和哥白尼一样，他认为宇宙包含了一定数量的恒星。英国天文学家托马斯·迪格斯（1546—1595）也支持哥白尼的理论，但他认为宇宙是无限的，并且恒星是均匀地分布在宇宙中的。开普勒反对这个假设，他说如果是这样，那么亘古以来，宇宙会出现无数颗恒星发射的光芒：我们看到的天空底色应该是无比明亮的！但事实是，我们看到的并非这样，说明宇宙是有限的。

18 世纪，英国天文学家埃德蒙·哈雷（1656—1742）和瑞士天文学家让－菲利浦·路易斯·德·舍索（1718—1751）的研究使用了一种更为定量的方式来解决这个问题。1720 年，哈雷在假设宇宙是无限的并且恒星在宇宙中均匀分布的前提下，计算了这个无限宇宙中所有恒星发出的亮度。为了完成这个计算，他以观察者的位置为圆点，将空间切割成一系列厚度相同的同心圆。他的计算方法是确定每一个同心圆中恒星呈现的亮度，然后将这些亮度相加得出从地球观察到的亮度的总和。如果我们假设每颗恒星的亮度都相同，那么一个圆的亮度就应该是每颗恒星的亮度乘以圆内恒星的数量。如果恒星是均匀分布在宇宙中的，那么圆中恒星的数量会随着这个圆容积的扩大而增多，圆的容积等于半径的平方乘以固定的圆环厚度。而恒星的亮度会因为它距离的遥远而变得微弱，更确切地说，一颗恒星的亮度会随着这个圆半径平方的增大而减弱。因此，恒星亮度与恒星数量的乘积并不受距离影响：当距离变远，恒星的亮度会减弱，但正是因为距离变远，圆的半径会变大，其中包含的恒星数量也会增加。因此，所有的圆以相同的方式给地球提供光亮，这些光亮的总和是无限的。这就是开普勒天才预设的准确结论。

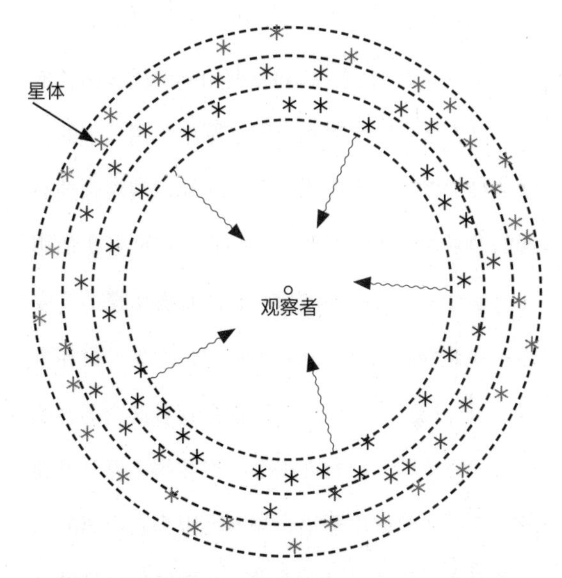

图 *1.* 将宇宙切割成相同厚度的同心圆。每一个圆中恒星的数量会随着圆半径的扩大而增长，尽管随着圆半径的增大恒星的亮度会减弱，但是每一个同心圆发出的总亮度是相同的。如果宇宙是无限的，且恒星均匀地分布其中，那么我们头上穹顶的亮度就是无限的。

为了避免这种致盲的亮度，哈雷认为，在真空状态下，恒星呈现出的亮度与它和地球的距离的平方成反比，因此亮度减弱得更快。随着距离的增大，恒星亮度的衰减更大，哈雷得出的这一结论与观察到的结果相符，同时也保留了无限宇宙的猜想。1743 年，路易斯·德·舍索通过假想一个由不透明介质构成的宇宙，从物理学的角度解释了这一结论。我们之所以无法看到距离遥远的恒星的光，是因为我们与它之间隔着不透明介质构成的空间，而光被这个介质吸收了。但是一个世纪之后，英国天文学家约翰·赫歇尔（1792—1871）驳斥了这个论点：星际间的介质吸收了恒星的光，就一定会升温，那么这个介质就会发亮。赫歇尔指出，星际间介质的不透明性如此之弱，以至于天空的背景应该和恒星表面，比如太阳，一样明亮。在这个推理的最后，无限光亮的假想被推翻了，但是在无限宇宙的框架下，夜晚的真实存在依然构成明显的理论矛盾。

1823 年，德国医学家、天文学家海因里·奥伯斯（1758—1840）也开始关注夜晚天空的亮度问题。他使用不同的论据，得到了和路易斯·德·舍索相同的结论。在一篇题为“宇宙空间的透明性”的文章中，他写道：“假设在无限宇宙中确实有不止一个太阳存在，并且它们之间的距离几乎相同，或者分布在不同的星系当中，它们的总和是无限的，那么整个天空就应该和太阳一样明亮。设想我们的视线是一条直线，那么从我们的眼睛出发的每一条线都必然会与任何一颗固定的恒星相遇，因此天空中的每一个点都会带给我们恒星的光，也就是太阳的光。”在推理中，奥伯斯强调了一个事实：近地恒星可能会遮住距离遥远的恒星。因此，并不是无数的恒星为夜晚的天空带来光亮，而只是最靠近我们视线的那些。因此，夜空背景的亮度也不是无限的，而是和一颗恒星表面的亮度相同。虽然宇宙是无限的，奥伯斯的论点表明了可见度极限的存在：在这个天际线之上，我们接收不到任何光亮，因为遥远的光源被近地光源遮住了。我们可以和一个在森林里散步的人做类比，森林里的树木也差不多是均匀分布的：无论这个散步的人看向哪个方向，他的视线必然会被树干挡住，无法穿过整片森林。奥伯斯并没有量化这个“障碍物”的距离，即那颗遮挡住我们视线的星球的距离，但是我们可以再次通过将宇宙切分为厚度相同的同心圆的方式，来简单地估算这个距离。我们的视线会接触到一个属于某同心圆的恒星，这个概率等同于这颗恒星的几何截面（圆面面积）与它所属的同心圆的面积之间的比例。考虑到一个同心圆包含的恒星数量，每单位长度的概率等于恒星密度（每单位体积的恒星数量）乘以几何截面的乘积。这个概率的倒数就是我们的视线可以看到的恒星与我们相隔的典型距离。假设恒星的体积和太阳相同，并且它们在空间中分布的密度与可观测到的宇宙中可测物质的平均密度相同。那么这个距离极限大约就是 10^{22} 光年，虽然很大，但不是无限。最后，宇宙是不是无限的就不重要了，如果它比视线的极限更大，那么天空应该和一颗恒星的表面一样明亮。

这个解法从何而来？令人意外的是，它从

诗歌而来！在下一章，文森特将唤起关于夜空的诗意遐想，而在此之前，必须要提到埃德加·爱伦·坡（1809—1849）的作品。1848年，他发表了《尤里卡》，里边有一首讲述他关于宇宙思考的长篇散文诗《关于物质和精神世界的随笔》，在这首诗中，爱伦·坡引用奥伯斯的论点来谈黑色的天空的问题："如果恒星是连续的无限的，那么天空的背景将会呈现给我们一个不变的明亮，如银河倾泻一般的光亮，只因在这个背景中，没有任何一个点是恒星照耀不到的。"（《尤里卡》，第11章，170—171页）随即，爱伦·坡又给出了结论："因此，在这种情况下，唯一可以解释我们用望远镜从不同方向只观测到空白的就是，假设这个看不见的背景距离我们异常遥远，以至于那里的光线无法到达我们的眼中。"已知光的传播速度是有限的，确认遥远天体的光亮无法到达我们的视线就是假设它们并不一定是存在的。因此，或许应该将无限的、从任何方向都能看到恒星的宇宙与聚集了光线可以被我们看到、观察到恒星的宇宙区分开来。如果恒星的寿命非常有限，那么布满夜空的发光星体永远无法形成。

在1861年出版的一本书中，德国天文学家约翰·冯·马德勒将爱伦·坡的天才预测形式化了。首先，他重新提及光速的有限性，这是丹麦天文学家奥勒·罗默于1676年在巴黎天文台通过观察木星的卫星运动得出的结论。其次，他认为宇宙的年龄是有限的，就此可得出结论：我们无法看到所有的恒星，只能看到那些与我们的距离低于光在宇宙年龄增长的时间内运动的距离。在那里，会出现一条天际线，天际线以外产生的光都是我们无法看到的。1901年，开尔文勋爵（1824—1907）通过研究恒星发亮的物理学原因估算出了恒星的寿命，从而完成了这一论证。他认为，恒星并不是永恒存在的，也不能永久发光，因为它的能量源是有限的。例如，太阳的唯一能量来源是在自身引力影响下的聚合反应，于是他可以确定跟太阳类似的恒星的寿命：太阳的寿命约是3000万年。但问题是：以查尔斯·达尔文（1809—1882）为代表的地质学家和博物学家测算出地球的寿命要远大于太阳的寿命，这就是一个非常明显的矛盾。为了让太阳能够持续发光，法国物理学家让·佩兰（1870—1942）和英国物理学家亚瑟·爱丁顿（1882—1944）在20世纪20年代初提出了恒星的能量来自原子核的理论。几年之后，德国物理学家汉斯·贝特（1905—2005）发展了这一理论，他描述了在太阳中心发生的热核聚变反应，因为只有太阳中心这一地区的温度和密度足以使反应发生。一颗与太阳体积相同的恒星，其核能量储备足以使它发光近100亿年（体积比太阳大的恒星的寿命比太阳短，因为它的亮度更高，其消耗核能的速度和它的体积的立方成正比）。我们无法看到距离我们超过100亿光年的恒星，因为它们的光还没有传播到我们这里，这就使我们可以看到的恒星数量明显减少。如开尔文勋爵指出的："如果广袤宇宙中所有的恒星同时发光……能够到达地球的光亮也只能是所有恒星光线中非常微小的一部分。"这就可以解决黑暗夜空的问题了吗？是的！原因是，如果我们假设恒星均匀地分布在宇宙中，所有同心圆可以带给夜晚的天空同样的亮度，当观察半径为100亿（10^{10}）光年时，奥伯斯通过因式 $10^{22}/10^{10} = 10^{12}$ 计算出的天空的亮度，使得天空由明亮耀眼变成了美丽的黑色。在这一阶段，天空是黑色的，因为我们只能看到离我们足够近的恒星，它们的光传播到我们眼中花费的时间短于它们的寿命。也就是说，由于光速的极限和恒星有限的寿命这两个相互结合的因素，才使我们只能看到无限宇宙的一小部分。一条天际线阻隔了我们对宇宙光线的感知。

膨胀的宇宙

古典物理学的无限和静止宇宙是提出黑色

夜空问题的宇宙论前提，这个解释在这个前提下是有效的。但是当今宇宙学模型的背景是膨胀的相对宇宙，在这个框架中，我们的解释依然成立吗？宇宙扩张的第一效应就是会弱化遥远星系的恒星散发的光，实际上就是减少了可直接使用的光源。还要考虑到另一个现象：宇宙的膨胀使来自遥远星系的光线变得发红——这是第二个效应，它是由于光波在膨胀的空间中传播发生扩张导致的。然而，在接收的光子数量相同的情况下，一个天体发出的光线越红，它就显得越昏暗。如果遥远的星系与我们相对静止，那么它们的亮度就相对显得更低。由此得出，距离我们越远的天体，它们的亮度就下降得越快。正因如此，最遥远的星系是很难被观测到的：即便使用最巨大的天文望远镜，对红外光非常敏感的探测器，也需要很长的观察时间来捕捉它们微弱的光。

最后，在目前的宇宙学领域，需要将两个效应结合起来才能解释为什么夜空是黑色的。首先，恒星和聚集了恒星的星系的寿命是有限的，这就限制了宇宙中被发射的光子数量。其次，宇宙的膨胀降低了光子的密度，颜色变红减少了每一个光子的能量。详尽的计算表明，在这两个因素中，第一个因素占主导地位，相对于静态宇宙，宇宙的膨胀最多可以使天空背景的密度降低四分之一。然而值得注意的是，在目前的宇宙学模型背景下，膨胀是加速的，最终星系逃离我们的速度比它们的光传播到我们眼中的速度要快。它们会逐渐离开我们可以观察到的宇宙，然后被我们遗忘。

最古老的光是何时发出的？

黑色夜空的问题让我们开始思考“宇宙视界”的概念。夜晚的天空之所以没有太阳的表面那样明亮，主要是因为宇宙中星体的生命周期有限，我们只能看到其中的极小部分。同样，光速也是有限的，超过宇宙视界这个边界，将不会有任何光传到我们眼中。我们估计，迄今为止可以被观察到的最古老的星系的光，早在太阳和地球形成之前就已经出现了（地球的形成是在45.6亿年前）：它的光偏红的程度说明，它是在132亿年前发出的。

恒星和星系不是宇宙中唯一的光源。如果现在的宇宙是膨胀之后的结构，那么在它的初始阶段，它曾经非常炎热，密度很大，是质子、电子和光子的混合体。光是和物质紧密相关的，自由电子不断发出光，光就会不断地改变方向。一切就像发生在雾中，雾中的水滴会使光线漫射并阻碍光的传播。像在膨胀的气体中一样，宇宙的膨胀会冷却和稀释它包含的物质。在一定的温度下，电子和质子的运动会变得非常微弱，它们相互结合形成了第一批中性氢原子。这个变化彻底改变了宇宙的境况，因为伴随着自由电子的消失，光失去了阻碍，可以自由地以直线形式传播。雾散了，宇宙变得透明起来。

黑夜佯谬具有特殊的重要性，因为光在氢原子形成的时候得到了释放，现在它依然照耀着宇宙。光在一个接近恒星温度的情况下发射出来，为什么我们不能在天空的任何角落都看到它呢？原因非常简单，就是这个原始的光（最初就是可见的光）由于宇宙的膨胀，它的波长增长了。现在它以肉眼看不到的微波形式被人类探测到，这些原始光子的平均能量是可见光能量的千分之一，它们的光通量也比恒星的光通量要弱几千亿倍。这个“化石光线”可以让我们看到宇宙最原始的景象。它似乎是从一个可见的宇宙的边界发出的，一个时空的区域，超出这个区域，任何光线都不能到达我们眼中，因为在此之前物质是黑暗的。我们依然无法了解更加古老的时代，因为有宇宙视界的存在，而根据最近的估计，宇宙视界的光花了近 138 亿年的时间才传到地球。

我们能看到宇宙视界之外的地方吗？

既然宇宙视界是由光第一次在宇宙中自由传播的时间限定的，那么我们提出是否能看到宇宙视界之外的地方这个问题似乎自相矛盾了。然而，这还是有可能的。为了做到这一点，我们要丰富我们的研究方法，不仅是对光的研究，还要把注意力集中在最容易消失的粒子和中微子上。要了解化石光线的来源，就要追溯到温度高达几千摄氏度的时代。让我们继续这段在远古的旅程，想象一个温度超过 100 亿摄氏度的宇宙：在这些极端条件下，任何原子结构或者原子核结构都无法存在。宇宙流体是一个由质子和中子构成的混合物，它包含了大量的电子、正电子、中微子、反中微子和光子。其中中子是很特殊的，它是一个不稳定的粒子，在不到一刻钟的时间里，它就可以通过释放电子和反中微子变成质子。中子之所以不会快速消失，是因为质子在高温中可以发生反向变化，它可以通过吸收反中微子或者电子再变成中子。于是中子和质子的数量达成了平衡。

由于宇宙的膨胀，温度下降了。这个温度不足以维持中子和质子之间的平衡，因为中微子不再和物质产生相互作用：它们开始在等离子区中自由传播，等离子区对于中微子来说变得透明。这个情况和光子遇到的情况完全一样，温度下降到一定程度，氢原子产生，光子自由传播。于是中微子能量分布的形式固定了，它们的温度也随着宇宙的膨胀而下降。一种更为古老的中微子的“化石光线”存在下来，估算其温度为 1.95 开尔文，它见证了宇宙中充满阻光物质时的环境，也就是位于我们之前确定的光线视界之外的时候。

那么，我们可能观察到这些宇宙中微子吗？很遗憾，答案是否定的，因为它们的能量十分微弱，与宇宙微波背景中的光子能量差不多，而且中微子几乎不与物质发生作用：太阳中心核反应释放出了中微子，需要一个超过 1 光年厚度的铅板才能阻止它们运动，而太阳中微子的能量是宇宙中微子能量的 100 亿倍。如果在探测中微子方面没有重大进展，我们就没有机会穿透宇宙视界的屏障。如果没有更好的解决方法，我们只能在脑海中让原始宇宙变得透明。

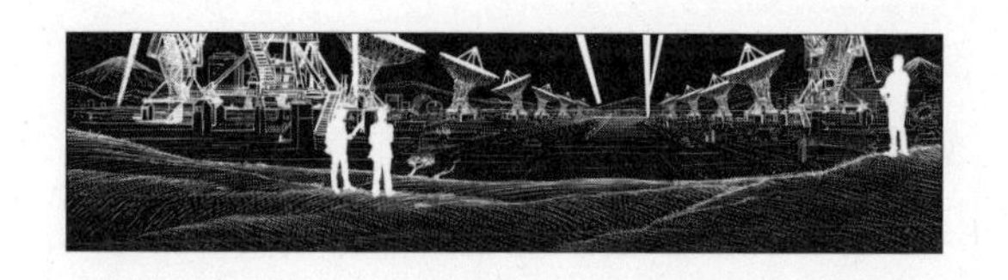

B　为什么夜空是黑色的

我们用蜡烛点亮世界，
一切显得遥远而阴影重重。
——皮埃尔·勒韦迪[1]，《星空》（*Ciel étoilé*）

在我们将要研究的所有黑之中，夜空的黑看上去是最不奇怪的。当我的朋友罗兰提到夜空的“黑”时，这个形容词的含义在他的笔下似乎没有经历科学语言的语义变形，所有人马上就能明白它的意思。乍一看，这个黑是普通的。当天文学家思考“天空为什么是黑色的”

1　皮埃尔·勒韦迪（Pierre Reverdy，1889—1960），法国著名诗人、超现实主义诗歌的先驱之一。代表作有《椭圆形天窗》《屋顶上的石板》等。

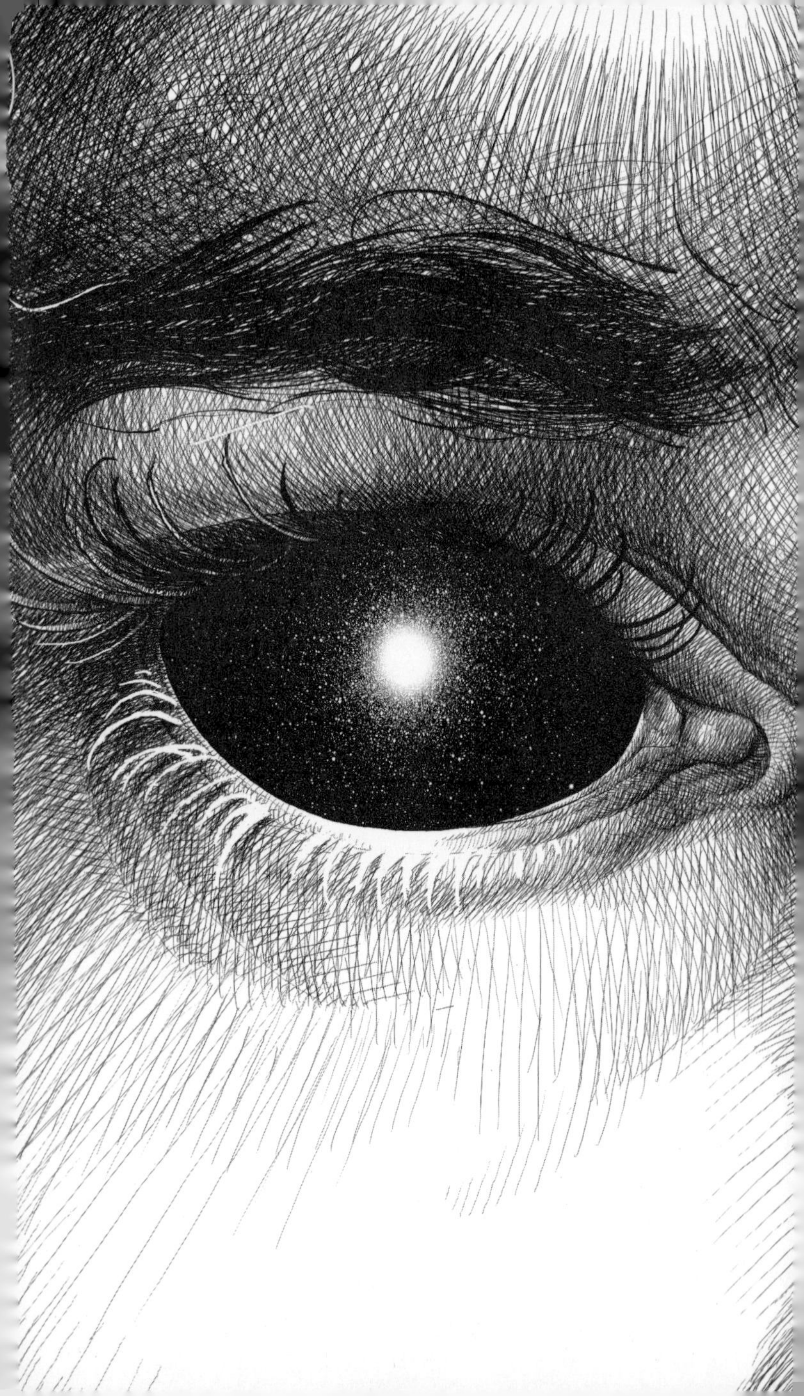

这个问题时，他参照的是关于夜空思考的普遍体验。

但不得不说，这个黑仍然很特殊。它拥有一段完整的历史，并且毫无疑问，它出现在哲学家、诗人和学者的语言中，这赋予它一个确切却自相矛盾的含义。天文学家不会思考为什么豹子和油橄榄是黑色的，这个黑也不是乌鸦羽毛的颜色，也非来自乌木、煤炭或者黑烟。它和导致黑潮的黑色无关，也和“险恶用心”这个短语中包含的关于“黑”的隐喻无关[1]。长久以来，关于天空的沉思将“黑”从这些普通的所指实物中提炼出来。黑并不是从地球发出，笼罩在某一个物体上的色调，而是缺少恒星光照的标记。因此，这里说到的黑只指天空的背景以及巨大的宇宙空间。准确地说，它指的是**恒星的光线可以穿越的黑暗**。因此，天文学家看到的黑是清晰透

1 “险恶用心”法语译文为 noirs desseins，直译为黑色的企图。

明的。黑本身是星际真空的一部分，而它却自相矛盾地证明了宇宙空间透明性的存在，因为这个透明使得恒星的光线可以穿越遥远的距离到达地球。

黑通常具有模棱两可的意味，因此它常被用在隐喻当中，而这个透明的黑是清楚而确定的，它同样具备情感上的共鸣。星空的形象——繁星点点的夜晚——是一个无穷大的形象，是诗人无穷无尽的隐喻，是一个引发所有人遐想的景象。

黑色的透明性：半透明介质

天空的黑色是一个自相矛盾的色彩：它既代表颜色的缺失，也代表可以让光线通过的透明性。远古时代，哲学家们就已经认识到这种模糊的透明的特殊性。亚里士多德（公元前384—前322）首先将它命名为“半透明介质”。

亚里士多德在他的作品《论灵魂》中，就

视觉这个主题给出了解释，视觉首先是对色彩的感知，而色彩的传播需要依靠一个可以被染色的介质：半透明介质。在这一过程中，半透明介质变得明亮，并且可以传播色彩："通过半透明物质，加上一个外来色彩的出现，我看到了原本看不到的东西。"（《论灵魂》第二卷，7页）于是我们认为半透明介质是看不到的，事实上，亚里士多德列举了空气和水这样的透明流体的例子。我们感兴趣的点是，他还指出只有被光线激活的半透明介质，被他称为**现行的**半透明介质，才是透明的（并且会吸收穿过的光线的色彩），而那些**潜在的**半透明介质，没有色彩出现的，始终是黑暗的："只是处于潜在状态的半透明介质依然是黑暗的。"（《论灵魂》第二卷，7页）然而，这种关于潜在半透明介质的黑暗性的说法一定源于对夜空的观察，因为亚里士多德也明确指出："由于火或某种类似火的物质对地球轨道以外的物体产生作用，半透明介质处于完成状态（也就是说它将自己的力量现实化了），可以说，光线就是半透明介质的颜色。”“地球轨道以外的物体”指的就是天体。这就意味着，夜空的黑暗是潜在的半透明介质导致的。黑色的天空是透明的，因为恒星的光可以穿过它。亚里士多德没有将这个黑色与地球物质的黑色混为一谈。我们可以把问题“为什么天空是黑色的”解读为“为什么夜空的半透明性只能是潜在的”，尽管如此，如亚里士多德学派的信徒所说，我们只能冒着不被理解的危险才能获得这样的精确，因为我们讨论的“半透明介质”这个词在现在的语言中，只有形容词“半透明的”这一种意思。

彩色的夜空

那么，为什么夜空是黑色的？诗人可能会告诉你，夜空在过去并不是黑色的，它曾经是**蓝色的**。中世纪装饰宗教书籍和文稿的彩图证明了这

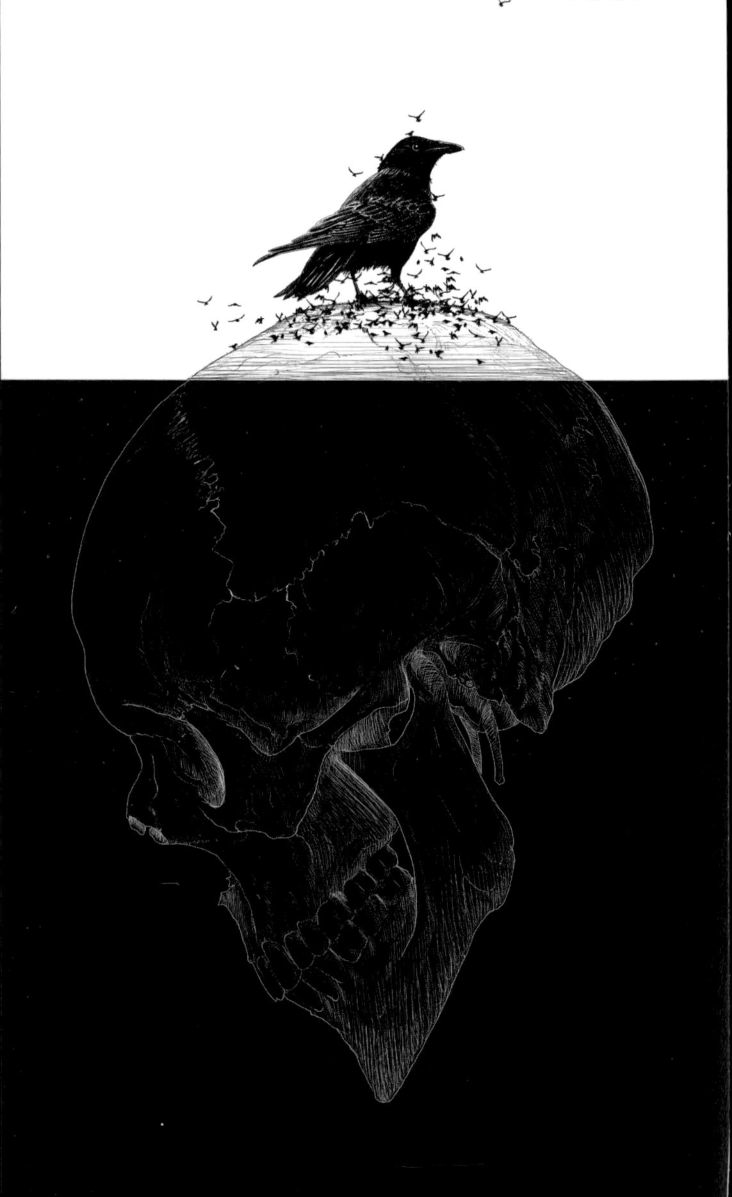

一点，画家们依然保留着关于“蓝色夜空”的记忆，直到文艺复兴时期，夜空才变成了黑色：“实际上，图像中的夜空通常是蓝色，而不是黑色。中世纪宗教书稿中的彩图和绘画已经说明了这一情况。”（米歇尔·巴斯图罗，《当代色彩辞典》，1992 年，135 页）事实上，在黑色独自占领夜空之前，黑色与蓝色有一段很长的共存历史。诗人们依然记得：“我们的头顶上是天空，在它美丽的蓝黑色彩上，点缀着点点繁星。”（查理·费尔迪南·雷默兹、艾美·巴驰，《来自沃州的画家》，1911 年，289 页）

夜空的模糊色彩和半透明介质一样古老而清晰。从诗歌的角度看，夜空是蓝黑色的，是因为古人只用了一个形容词来描写天空中这两种颜色混合的色调。古希腊人称之为“kuanos”，拉丁人将它翻译为“caeruleus”（天空的颜色），法语中有了“céruléen”这个词，就是“天蓝色”的意思。因此这个首先用来形容夜空的颜色就此产生，最终半透明介质也失去了最初的黑暗，成为表达白天天空的颜色。然而，关于夜空颜色的讨论并没有结束。艺术家们深知这一点，并在他们的诗歌或绘画中赋予它颜色。阿瑟·兰波[1]在他美妙的诗歌《醉舟》中赞叹他并未见过的北极光："我梦见过绿色的夜空，在炫目的白雪中。"之后他又在《彩图集》中描写"十个月的红夜"，很可能参照的就是当太阳永不升起，在天际线出现了恒久的光芒时，从极圈外看到的天空发红的色彩。在夜晚的深处，所有的颜色都可能喷薄而出。

在当代画家中，我最欣赏的是热尔曼·卡米纳德（1973— ），尤其是他的《572星系》，在这部作品中，原始的黑暗中出现了彩色的星云，这些星云交织在一起。面对他的巨幅画作，我

---

1 阿瑟·兰波（Jean Nicolas Arthur Rimbaud，1854—1891），19世纪法国著名诗人。早期象征主义诗歌的代表之一，开启了超现实主义诗歌流派。

们的视线感受到了趋向无限大的相位差：他的画将我们的感觉扩展到了天际。奇怪的力量在气云中发挥着作用，而恒星就在气云中杂乱地产生。通过色彩的层叠和交织，星体之间产生了无法测量的关系，它展现在观察者的眼前，宇宙的狂热景象让观察者目眩。凝视着这些色彩，我仿佛看到了世界的起源，天文望远镜让我们看到了带着“假色彩”的宇宙，看着望远镜里的画面，我惊得目瞪口呆（这些画面是由肉眼无法看到的光线组成的，我们会赋予这些画面一些色彩）。

和天文物理学家一样，卡米纳德用自己想象的工具，在超越普通光谱的频率上探测现实。这些被重新发现的色彩数量巨大，它们在极度黑暗的背景上显得格外突出，其拥有的强大魔力几乎到了可怕的程度……宇宙中一股狂热的力量猛烈地迸发出来，超出了我们承受的基准。银河幕布的美丽激烈地流淌，在超现实主义者眼中，这美丽抽动着；而在古典主义者眼中，这美丽是宁静的、悬置的，它强大的力量将我们个人命运中虚幻的躁动化为乌有。“让我们暂时或者永远忘记自我吧，享受真实的光辉”，这是急速增多的星体传递给我们的消息。

图 2.《572 星系》，热尔曼·卡米纳德，2011 年。
2×130×130cm，油画，私人收藏。

星座的黑色盒子

天空的黑暗体现了宇宙无法估算的维度，它让我们感受到地球和恒星之间遥远的距离。这个黑色是夜晚高空的颜色，是宇宙背景的半透明色，而不是覆盖在景象上，让人在道路转弯处摔

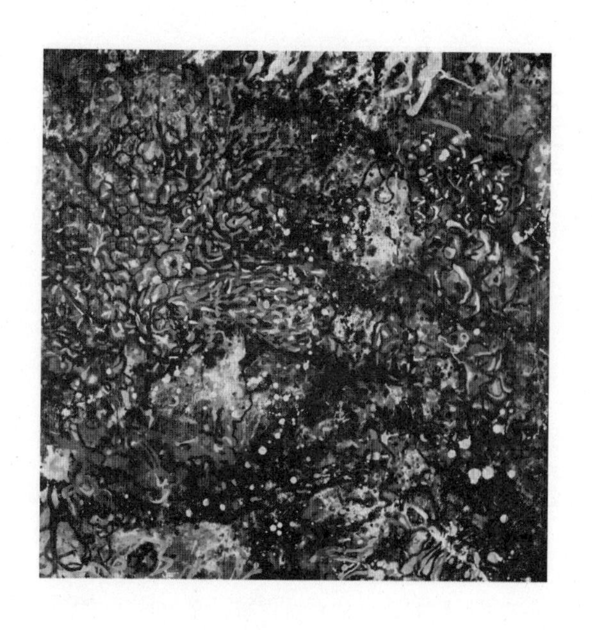

倒的黑暗。当黑色从天空脱落，它便不再那么纯粹，它最终会减弱，被半明半暗的色彩代替，甚至连空中的云也变得非常厚，云层沉沉，密不透光，无法屈从于天空的黑暗。它们使这黑暗模糊不清，使天文学家无法观察到恒星，使完美的黑色蜕变为简单的暗淡：

一阵风从漆黑的天空降临，像是在原始的混乱中，用一种不为人知、无法名状的材料制作的稠密厚重物搅动起悲哀的波浪，最终露出梦魇般的沉重灰色云层，在整个风景区上方飘浮着。（朱利安·格拉克，《阿尔戈古堡》，*1938* 年，*146* 页）

说到底，只有辽阔的海洋能够汇集夜晚很大一部分的黑暗，而不将这黑暗表现出来。孤独的水手在大海上可以看到反射在海浪上的星座随波荡漾，而这始终是真实光线的反射。

巴什拉在他的著作《空气与梦幻》中，书写了关于星座的诗。他在诗中解释道，只有幻想可以赋予星座生命，因为古代的天文学家将这些发光的点连在一起，勾勒出一些神话人物的轮廓，而事实上，这些发光的点没有任何关联：

在蔚蓝的夜晚这个巨幅图画上，数学家用他们的遐想描绘出图样。星座都是假的，都是美妙的错误！星座将这些完全互不相干的星体连接在同一个图像中。在这些真实的点之间，这些如同孤独的钻石一般的星体之间，关于星座的遐想画出了想象的线条。（巴什拉，《空气与梦幻》，202页）

在恒星和更为遥远的星系之间没有真实的联系。需要多情的遐想才能将空间弥合，让星座穿过无边的黑暗描绘在夜空中。巴什拉想象了一个浪漫的场景来描绘它——一个牧羊人和他的伴侣一起欣赏着夜晚的奇观：

年轻的牧羊人啊，你在梦中用手轻抚的白羊，就在天上呢，它正在无边的夜晚里轻轻地转着！你明天能再看到它吗？把它指给你的女伴看看。你们两个开始画吧，这样就可以认出它，熟悉它。你们两个要相互证明你们看到的是相同的画面，有着相同的向往，你们在同一个夜晚，同样的夜的寂静中，看到了同样的幽灵经过。当梦与梦结合时，生活将变得如此丰富。（巴什拉，《空气与梦幻》，*203* 页）

然而夜晚的画面，与所有伟大的画面一样，都可能被颠覆。黑色是多情梦想的庇护者，但也是深度焦虑的埋伏者。黑色的夜晚是双重性的，它可以转换成自己的对立面，它既残忍又温柔，时而危险又时而欢快，它可以是闪光梦境的温柔的孕育者，也可以是难以名状的阴森噩梦的制造者。

黑的选择

这个双重性首先关系到梦想的夜晚。为了欣赏真实夜晚的黑，发现它准确的明暗变化，需要在晴朗的天气下，远离城市，抬眼望向这深不可测的天空，这骇人的夜晚，让自己随着它慢慢飘移。有一个著名的佯谬：为了感受黑色的夜晚，需要度过一个不眠之夜，不睡觉，一边凝视天空，一边思考。虽然黑无法从实体上获得无穷的结构，但是它既非中性，也不贫瘠，它无法被我们全然认知。夜晚不可避免地提醒我们意识到个人生命的微不足道。它的黑暗可怕而强烈，如同“缺失”一般。

这个可怕的黑暗侵袭着我们，有时像布莱兹·帕斯卡[1]一样带给我们恐惧，很明显，这是光的缺失，也是爱的缺失。夜晚的天空充满了孤独。没有月亮的夜晚，孤独的重量变得不可承受。在漆黑的夜里，孤独成为绝对，黑暗让人窒息，每一颗恒星都被孤立。它们不计其数，却也成为枉然，它们都是孤独的。面对漆黑的夜晚，就像是面对死亡的画面，体会失去亲人的悲伤。很多诗人将夜晚的黑暗与寂静、寒冷、空虚和其他关于缺失的隐喻做类比。维克多·雨果（1802—1885）描写过对无尽黑夜的极度不安：“他们在哪儿，那些沉没在黑夜里的水手？”（维克多·雨果，《诺

1　布莱兹·帕斯卡（Blaise Pascal，1623—1662），法国数学家、物理学家、宗教哲学家。

克斯海》，1836年）反之，如果月亮在，守护着我们的梦，黑暗会将我们带入一种相较明媚的忧伤中，仿佛它只是一个梦想的盒子，而夜晚是柔和的梦编织成的布。月光是微弱的太阳反射光，它改变了黑暗，而恒星的光却让这黑暗更加强烈。

最终，夜空的黑暗稍微缓和了一些：银河的薄纱横贯苍穹。埃拉托斯特尼[1]说，赫尔墨斯让赫拉克勒斯吮吸赫拉的乳房，这样赫拉克勒斯就可以不死不灭，但是，当赫拉女神发觉后，她拒绝了赫拉克勒斯这个宙斯的私生子，剩余的乳汁从她的嘴里流了出来。后来，其他的神话里讲到，最后赫拉和赫拉克勒斯和解了，赫拉也接受了他。对于天文学家来说，这个乳白色的圆圈勾勒出银河的地图；对于博学的诗人来说，它构成的是一个承诺：具有母性温柔的女神没有完全背

---

1 埃拉托斯特尼（Eratosthenes，公元前276—前194），古希腊数学家、地理学家、历史学家、诗人、天文学家。他是最早有文字记载的计算出地球周长的人。

弃对无尽的黑暗空间的承诺。

最后，正在思考的人感受到，有一类懦夫在逃避着彻底的黑暗。如雨果所写："不思考的人生活在盲目中。思考的人活在黑暗里。我们只有黑的选择。"（《威廉·莎士比亚》，第五卷）从某种意义上来说，夜晚必须是黑色的。只有这样，才能在黑暗的最深处安放焦虑或恐惧、平静和冥想，从而忘记每天的烦恼。我们几乎可以从中预言一种道德的必要性。当我们置身黑暗，夜晚让我们不好的一面展现出来，它将我们交付给此刻，让每个人意识到自己是孤独的，让每个人判断自己的行为，发现自己存在的意义：伊曼努尔·康德（1724—1804）在他的《实践理性批判》（1788）中写道："有两件事让我充满了赞赏和敬佩之情：我头顶的星空和我心中的道德规则。"《实践理性批判》这本书是道德哲学著作的里程碑之一。黑色的天空提醒着我们死亡的不可抗性，它告诉我们如何让生命像恒星一样发光，就是通过自由赋予我们脆弱的生命以意义。如果夜晚没有那么黑暗，我们就失去了一种充满魅力的、深刻的、情感上无法估量的美学体验，也失去了一种基本的存在感。

对于“夜空为什么是黑色的”这个问题，哲学家以一种目的论的方式来回答：“天空是黑色的，是为了让我们看到星星。”这个回答让天文物理学家感到可笑，只能说这样的答案是目的论，属于道德领域。即使黑色的天空让人不安，这种不安也是从属于自我意识的，是一种自由，当世界上所有事情变得不可控甚至让人绝望时，这种关于自由的确定，是我们即使独自面对黑暗也能感受到的极大安慰。这让我们想到一位伟大的思想家在被刺杀之前不久所说过的话：

这个国家病了。暴力摧毁着我们的土地，到处都是混乱，人们陷入困惑。可我确定地知道，只有在漆黑的夜晚，我们才能看到星辰。（马丁·路德·金，《我已达至峰顶》，1968 年）

Part 2

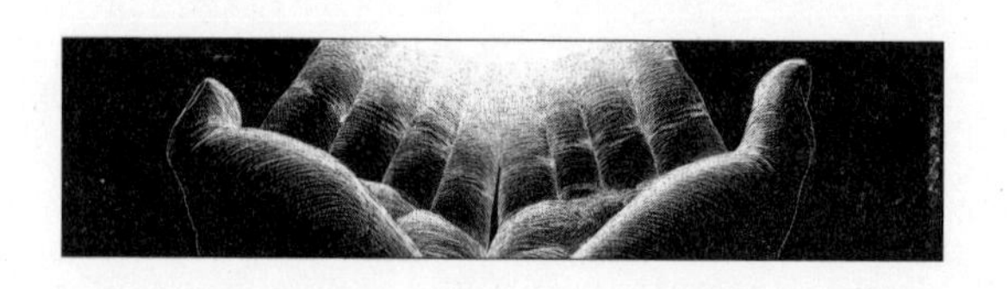

A 黑体

看到外面一片漆黑，我们大可不必成为一道光。
——菲利普·葛洛克[1]，《猫的未来》(*L' avenir du Chat*)

19世纪末，英国物理学家威廉·汤姆森，也就是著名的开尔文勋爵，认为物理学不会再有什么新发现了，只有两片云遮挡着物理学的天空，其中一朵涉及热物质发出光线的光谱问题。学者们完成了这一现象的数学模式，与低频光的实验曲线合理地一致，接近红光和红外线。而对于高频光（蓝光和紫光）的实验则和该模式出现

1 菲利普·葛洛克(Philippe Geluck，1954—)，比利时漫画家，代表作《猫》。

了严重出入，实验得出的数值比预期的要低得多。事实上，这个问题是真正掀起飓风的根源，因为解答这个问题的必要理论和实验发展促生了量子理论。

让我们从头讲起，故事发生在19世纪末的柏林。这个新帝国的首都接待了一些世界顶级的实验物理学家和理论物理学家。物理学的发展似乎达到了顶峰，当时的物理学有三个基础支柱：力学，包括艾萨克·牛顿（1642—1727）提出的引力学说；以詹姆斯·克拉克·麦克斯韦（1831—1879）为主提出的电磁理论；热力学，探讨能量的不同形式以及这些形式交流和转换的方式。在法国物理学家萨迪·卡诺和英国物理学家们关于蒸汽机研究的推动下，热力学得以产生。它建立在两个原则上：

——能量的储存。根据这一原则得出，一个封闭系统内部能量的变化和对外交换的热和功的量是相等的。

——熵的增加。它解释了为什么热量总是从

一个热物质向冷物质流动，而从不会出现反向流动。

热力学这个学科分为两个分支。第一个是“现象学”热力学，它主要对产热现象进行宏观描述，而不对它们的属性或微观原因做出判断。第二个是统计热力学，它是在奥地利物理学家路德维希·玻尔兹曼（1844—1906）的推动下产生的，这个分支从对一个物质的微观描述出发，通过假设分子或原子的存在（当时分子和原子是同一概念），来理解热的转化。

这一领域的物理学家们关注的一个问题是发热物体所释放的辐射，它会随着温度的升高改变颜色，开始是淡红色，然后变成鲜红色，最后变白，其目的是从发出这一辐射的物质属性出发，详细解释辐射的特征。1859 年，德国物理学家古斯塔夫·基尔霍夫（1824—1887）通过将热力学第二定律应用在一个热平衡的物体上，就这一主题发表了第一个重要结论。他证明了物体发射率（物体在一定温度下辐射的能量与同一温度下黑体辐射能量之比）与吸收比（被物体吸收的热辐射能与投射到物体上的总热辐射能之比）之间的联系具有普遍的规律：它不受物体的束缚，只和物体的温度有关。这个普遍性赋予了基尔霍夫理论一个根本意义。实际上，这个普遍性意味着一个能够大量吸收一定频率光线的物体也是在这个频率上很好的发射物体，反之亦然。这导致“黑体”概念的产生。基尔霍夫于1862年创造的黑体是一个能够吸收所有光能的理想物体。为了保持平衡，它会辐射出完全等量的光能。黑体提供了物质辐射的理想标准，这些物质或多或少是黑色的，但都不是绝对的黑。

1879年，奥匈帝国（所属的斯洛文尼亚）物理学家约瑟夫·斯特凡（1835—1893）得出了第二个重要的结论。他通过实验确定了黑体每单位面积发出的光通量与其温度的4次方成正比。正是鉴于这一规律，他通过将太阳总辐射量及其假定的表面积相关联，最终确定了太阳的温度（约5500摄氏度）。因为，**太阳是一个黑体**，虽然这好像和形容词“黑”的普通含义完全不符。正如文森特所说，将太阳与黑体等同是一个极具干扰性的矛盾，因为在人类的想象中，星体的光辉和灰烬、烟灰是完全相反的，但这也是产生巨大矛盾的根源。

黑体之谜

当时，最真实地重现黑体特点的方式是在炉壁上凿一个非常小的洞。从这个洞口射入的辐射光会承受炉内壁的众多漫反射，进去的光线最后在烤炉中被吸收，永远无法放射出去。这个洞和黑体一样具有完全的吸收性。另外，炉内壁在原子的热激发效应下，发射出全频辐射。物理学家们研究了从洞中透出的光线，它是由放射和吸收之间的热平衡产生的。德国物理学家威廉·维恩（1864—1928）通过同样的烤炉实验，根据温度确定了光谱的形式。1893 年，维恩迎来了决定性的阶段，他从纯热力学的论据出发，根据光频（ν）和物体温度（T）计算出黑体光谱的普遍形式。这个光谱形式必须是 $u(\nu, T) = \nu^3 F(\nu/T)$，其中 F 是未知函数，只取决于光频与温度之间的关系。在固定温度条件下，将所有频次的基值相加，维恩的公式就可以证明斯特凡的定律从理论上讲是合理的。1896 年，维恩又提出了一个特别的函数 F，它可以导致一个与高频标准相符的频谱：$u(\nu, T) = a(\nu/c)^3/\exp(b\nu/T)$，其中 a 和 b 是实验中确定的衡量，c 是光速。

维恩的一个好朋友，德国物理学家马克斯·普朗克（1858—1947），从 1894 年起也对黑体问题产生了兴趣，而他的目的有些不同。普朗克对热力学的第二原则非常着迷，他的博士论文就以此为主题，此外，他不承认玻尔兹曼关于原子的假设。通过研究黑体，他希望可以重新认识热力学的不可逆性，而这个不可逆性并不建立在这个假设上。他设想这个不可逆性和物质与辐射之间的互动相关，当时这个互动被假设为连续的，而玻尔兹曼认为这个不可逆性和微观统计效应相关。

从 1895 年起，普朗克就有了一个想法，将一组理想的共振器（振荡器）放置在具有完全反射内壁的空洞中，这组共振器就可以描述黑体。这些共振器是在电磁场效应下振荡的电偶极子。根据基尔霍夫的结论，由这些共振器发射和扩散的辐射的最终光谱可以让我们发现黑体定律。普朗克选择了这个模式，因为一个共振器导致的电磁波扩散是一个不可逆的过程，哪怕这个共振器是完美的，没有任何的摩擦或阻力。玻尔兹曼批评了这个模式，因为麦克斯韦的电磁公式在时间逆转的情况下是不变的。这些公式在时间上是可逆的，因此它们不会导致不可逆性的出现。两位学者发生了争论，普朗克最后承认玻尔兹曼是对的。玻尔兹曼也提出了一个建设性的意见：为了获得一个不可逆的性能，实验的进行应该像示范包含无序分子的气体演变的不可逆性一样。这就等于给普朗克的模式中加入共振器不规则运动的假设。

普朗克不认为电磁场是导致不可逆性的可能性来源，他将精力放在了热力学上。为了揭示物理学定律的真正原因，维恩的经验公式是不够的。普朗克希望只使用基本原理就可以确定黑体的光谱。他创造了一个新的模式，在这个模式中，电磁辐射的振动和共振器的振动是互不关联的。他从中得出两个结论：在大范围内，系统的演变是不可逆的；辐射最终会变成同质的和各向同性的。他取得了一定进展，却没有达到一个令人满意的模式。

这就是在 1900 年之前的研究状况，在这一年有两组实验人员研究了在低频转速中的黑体光谱性能。他们得到了相同的结论：在这个频率范围内，维恩的公式是完全错误的，它没有考虑到实验数据。

1900 年 10 月 7 日，德国物理学家、夏洛特堡帝国理工学院的实验员海因里希·鲁本斯（1865—1922），在普朗克位于柏林郊区的别墅里拜访了他。两位物理学家很自然地谈到了黑体问题，鲁本斯给普朗克描述了他在测量红外光谱的末端方面的最新进展：在这一阶段，能量的密度和温度成正比。在鲁本斯离开后，普朗克马上开始工作，第二天，他寄给鲁本斯一张明信片，向他建议了一个关于黑体光谱的新公式：$u(\nu, T) = a(\nu/c)^3/[\exp(b\nu/T)-1]$。这个公式遵守在低频辐射中（在红外线中）能量和温度的比例限制，又与关于高频辐射的维恩公式相结合。当晚，鲁本斯和他的同事费尔迪南·库尔鲍姆（1857—1927）又做了一些测定，发现它们在所有频次上都和普朗克的新公式完全相符。几天后，10 月 19 日，普朗克在柏林将这个算法介绍给德国物理学会的同事们。

普朗克如此迅速地获得这个算法，并非偶然，也非灵光一现。在他之前发表的文章中，他就已经得到了几乎所有的数学方法和概念。至于他的新公式，他只是在维恩公式和另一个英国物理学家瑞利男爵约翰·威廉·斯特拉特（1842—1919）的公式之间做了一个插入法。1900 年 6 月，瑞利男爵提出低频光谱的公式：$u(\nu, T) = 8\pi(\nu^2/c^3)kT$。然而瑞利男爵的公式也遇到了物理学中反复出现的问题：将所有频次的基值相加，会得到一个无限的总能量。1911 年，奥地利物理学家保罗·埃伦费斯特称这个结论为“紫外线灾难”。普朗克在自己的介绍中，完全没有提到这个不足之处，也没有提到瑞利男爵的结论，因为他不接受原子论假设。可是，普朗克对这个结果并不满意，因为他总想从最初的理论推导出它来。1920 年，他在颁发诺贝尔物理学奖的演讲中解释道：“即使辐射的公式被证明是完全正确的，它也只能是通过幸运的臆想得出的插值公式，这无法让我满意。从发现这个公式起，我就竭力给它一个真正的物理学的解释，这让我跟随玻尔兹曼的观点，思考概率与熵值之间的关系。”

为了获得他所希望的更为基本的理由，普朗克别无他法，只能借助于玻尔兹曼的统计法，虽然他始终反对原子论假设。他引入了一个理念：共振器的总能量被平分为能量 ε ，这个能量与它的频次 ν 成正比（ $\varepsilon=h\nu$ ）。所以，尽管共振器和辐射拥有持续变化的能量，但它们之间的交换是通过小量化包完成的。在这个公式中，比例因数 h 是物理学中一个新的常量，它不是被立即当作基础常量的。事实上，普朗克明确拒绝和玻尔兹曼一样以现实的方式来解释这个常量，而玻尔兹曼在假设原子存在的前提下，证明了常量 k。尽管如此，在“绝望的行动”中，（普朗克说：“因为我有意识地远离了原始状态。”）他引入了与能量和频次相关的常量并称它为“h”，它是“hilfe”（德语里“救命”的意思）的首字母。这让他可以验证自己的公式，并确定了凭经验引入的常量的值：$a=8\pi h$ 和 $b=h/k$。他得到了如下光谱：$u(v, T)=8\pi h(v/c)3/[\exp(hv/kT)-1]$。几周之后，1900 年 12 月 14 日，普朗克将这个公式呈交给柏林学院。对比普朗克提出的第一个公式，我们会认为他所做的只是一个简单的符号性变化，而事实上，这是一个真正的概念性跳跃。

常量 h 很快就成了量子物理学的象征，普朗克的研究也促进了量子物理学的发展。1905 年，年轻的阿尔伯特·爱因斯坦（1879—1955）撰写了好几篇具有革命性的文章。他的第一篇文章，可以说比普朗克自己都更为认真地研究了普朗克的理论。爱因斯坦认为，光不是一个连续的现象，而是由各种能量粒子传递的，这些能量粒子后来被命名为“光子”。这使他可以合理地解释海因里希·赫兹（1857—1894）于1887年发现的光电效应。因此在一定环境中，光是一个微粒的结构，而不是波状的结构，从这个意义上讲，

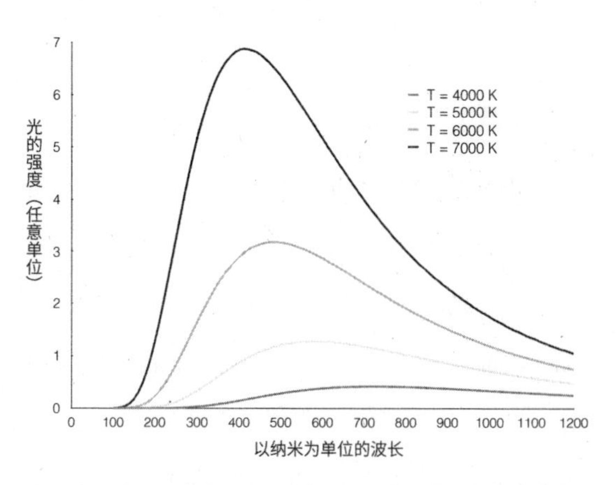

图3. 黑体光谱的形状仅取决于光源的温度。当温度增高，曲线下的面积增大，曲线的最大值向短波方向移动。

光是由一些不可分解的小团组成，这些小团携带的能量与频次相关。这一发现，以及证明原子存在的实验，是 20 世纪初量子革命的开端。

因此，解决黑体辐射之谜的方法是一场颠覆几近完美的古典物理学的冒险，而走向了令人惊讶的、意想不到的量子世界。开尔文勋爵认为，这只是一朵很快会被吹散的云彩。普朗克认为，这是一种痴迷，会使他违背自己的信念。爱因斯坦认为，这是用来发现关于光这个最有趣现象的工具，是粒子和波的概念的融合。

黑体是真实存在的吗？

计量学需要一些能够尽可能完全模拟理想黑体发射的设备，理想黑体的发射率要接近 1。超黑就是这样一种材料，它是通过化学侵蚀镍磷合金的表面而制成的，并且只能反射 0.4%的入射光。另一种解决方案是将碳纳米管垂直排列在硅表面：合成材料可以吸收 99%的入射光，从紫外线到红外线。最终萨利纳米系统公司将纳米碳管黑体投入市场，这是一种能够吸收 99.8%的入射光的可喷涂颜料。英国艺术家安尼什·卡珀尔（1954— ）是唯一将这种涂料应用在艺术作品中的人。

正如我们关于太阳所说的，一些恒星光谱的连续部分和黑体的光谱几乎一致。然而，在恒星内部产生的放射和吸收的组合作用会在物体表面放射的光谱中，以第一近似的方式，强加一个与不同内部层级关联的黑体的组合。因为较深层级的温度更高，所以它们比较浅层级发出的光更多，但是也被吸收得更多。也正因如此，每个层级的光谱必须乘以吸收率这个权数。所观测到的光谱是所有基值的总和，因此没有任何先验的论据可以证明它和一个黑体光谱是相似的。但是对于太阳来说，我们接收辐射的区域厚度约为 500 千米，远小于太阳半径（约 696000 千米）。因此这个光圈的温度相对均匀，这使得黑体光谱和太阳光谱有充分的近似性。于是，我们将一颗恒星的有效温度定义为一个黑体辐射出与恒星等量能量时的温度。那么，太阳的有效温度就是5770开尔文，即5500摄氏度。

最冷的黑体

20世纪60年代中期，两位美国无线电天文学者阿诺·彭齐亚斯（1933— ）和罗伯特·威尔逊（1936— ）发现了一道仿佛来自天空各个方向的辐射。令他们惊讶的是，这道辐射的存在是1948年俄裔美国物理学家乔治·伽莫夫（1904—1968）所预言过的。考虑到宇宙的扩张，伽莫夫猜测这道辐射一定是在一个比现在密度更大、温度更高的阶段出现的。如果过去宇宙的温度已经达到几千开尔文，那么这个物质就完全被电离了，而光则随即在自由电子上扩散。那时光的传播不是直线形的，而是曲折的。和降压膨胀的气体一样，宇宙的扩张会稀释和冷却宇宙中的物质。当温度降至3000开尔文以下，电子就可以和质子结合，形成第一批中性氢原子。那时宇宙已经存在了38万年。在那一刻，光可以以直线的形式，在变成透明的宇宙里自由传播。通过这样的设想，伽莫夫预测，在宇宙变透明时占据优势的辐射，如今依然充斥在宇宙中。然而，由于宇宙的膨胀、稀释和冷却，这道辐射的能量已经比起初衰弱了。彭齐亚斯和威尔逊发现的这道辐射轻松地证明了这一点，这一发现也让他们获得了诺贝尔物理学奖，因为这一发现有力地证明了宇宙扩张学说。这道原始辐射是由一个温度约为 3000 开尔文的物体发出的，现在可以通过温度仅为 2725 开尔文的微波形式感知。它被称为“宇宙微波背景辐射”，几乎和我们的宇宙同样古老，它为我们描绘了宇宙在中性氢原子形成时的化石图景。1992 年，COBE 卫星（宇宙背景探测者）对宇宙微波背景辐射进行了第一次精确观测，WMAP（威尔金森微波各向异性探测器）和“普朗克”探测器也分别于 2005 年和 2013 年对这道辐射进行了观测。这道辐射的光谱几乎和黑体的光谱完全吻合，最大偏差仅为 0.005%。根据定义，这使得宇宙微波背景成为被观测到的最完美和最大的黑体，并且极有可能是最冷的一个。

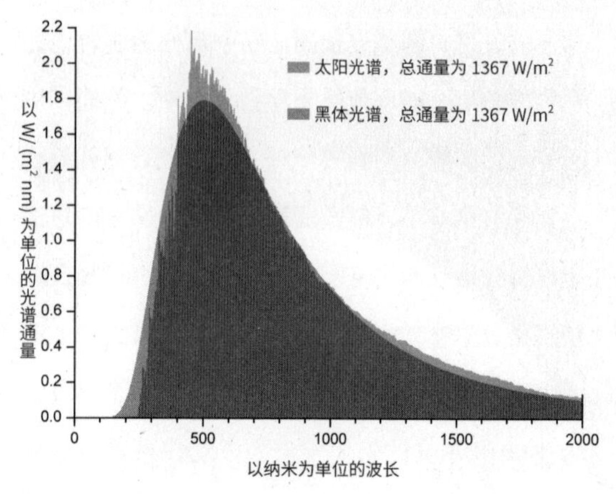

图 4.太阳光谱与温度为 5770开尔文的黑体的光谱非常近似。

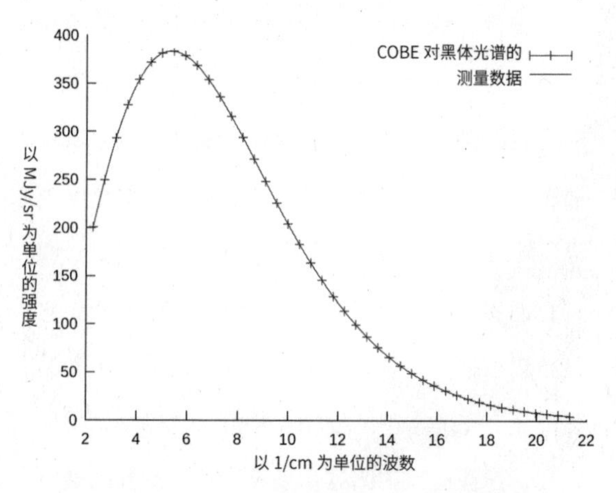

图 5.COBE卫星于 1992年获得的宇宙微波背景辐射的光谱。这个光谱和温度为 2725开尔文的黑体光谱几乎一致。

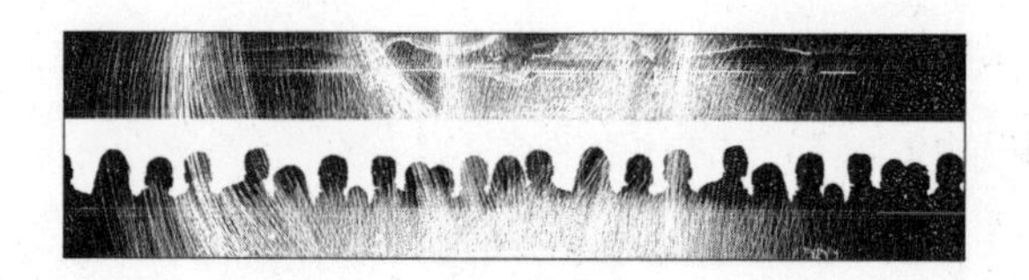

B 黑体辐射

不再需要任何颜色，我只想将它染黑。
——滚石乐队[1]，《将它染黑》（*Paint it black*）

在“黑体”这个科学表达中，形容词“黑”的含义似乎并不成问题：难道它不单纯指物体的颜色吗？实际上，这个黑暗只是用黑色来做个类比。一个物体的颜色是与其表面反射或扩散的波长相符的（颜色也可能与物体的微观结构有关），而光的其他成分则被吸收了。一个白色的物体是反射了所有可见光的波长，而一个黑色的物体则是将这些

1 滚石乐队，一支来自英国的摇滚乐队，成立于1962年，自成立以来一直延续着传统蓝调摇滚的路线。

波长全部吸收了。因此在太阳光下，一个黑色的物体比白色的物体更容易吸收热量。但是这个著名的特性与物理学家所说的黑体特性之间存在着巨大差异。物理学家称之为“黑体”，是因为它会吸收电磁光谱的所有光频，而不仅仅是彩虹上颜色的光频：黑体吸收了整个光谱，其中包括肉眼看不到的紫外线、微波等光频。黑体是完全吸收剂。它的黑暗不再是表面的、根据光照而改变的色调，而是它的本质属性、它的定义所在。这个黑暗中还要加入黑体的另一个特点：为了保持平衡，黑体必须以辐射的形式将它所吸收的光频释放出来。

黑体不再属于有色物体构成的经验论世界，而属于物理理论知识：它是一个近似真实物体特性的模型，而这些真实物体通常是灰色的，也就是说，它们会反射一部分吸收的电磁波。黑体是一种理想物质，它的黑暗是非同寻常的。物理学家创造了一个新词来准确地形容它：blackbody。这个词通过将形容词（black）和名词（body）相结合，把它们从普通语言中剥离出来。我们的语言并不完全适合描述这个事物（或许可以将它翻译为“corps-noir”），除非需要突破普通语言的限制。为了探索这个从黑中想象出的事物，仅仅靠编制直观的隐喻是不够的。我们不应该止步于这种简单的一语双关：我们所说的黑色不是表象的黑。巴什拉对于黑体客观认知的精神分析需要深入研究黑体的物理学特性，也就是它的完全吸收能力和它的辐射的物理学特性。

如罗兰之前提到的，关于黑体的一个比较好的实现就是一个烤炉，从壁上凿一个可以吸收光的小洞。第一部《法兰西学院辞典》(1694) 中就有了这个习语：“烤炉中是黑色的。”它指的是内壁覆盖着烟灰的烤炉的黑色，而这与一个关于黑体的相对准确的直觉相一致。烤炉开口内的空荡是将黑体现实化的一个比较完美的方式，但这只是一个近似性的方式，甚至在某些地方会出现错误的图像，如何能通过内壁覆盖着烟灰的烤炉的图像来理解太阳是一个黑体呢？烤炉和太阳的对比，就像是轻轻的灰烬和厚厚的岩浆之间的对比、普通感官和科学思维之间的对比。太阳可以吸收所有辐射并把辐射以热能的形式释放出来。太阳不是黑色的，却是一个黑体。这就是一个普通感官和理性思维之间出现失调的典型例子。

然而，我们确切地知道，当烤炉不是静止的（黑暗的），而是处于开启和运转状态（明亮的）时，我们无法辨识出烤炉里的东西，“和在烤炉中一样黑”这个习语变得很恰当，甚至完全正确。不仅烤炉的亮度让人目眩，烤炉中的物体也像黑体一样运动，也就是说，烤炉的内部会将光线全部吸收和释放，以至于我们无法辨识里面的东西。让·佩兰在他那本有预见力的书《原子》（1913）中是这样解释的：

如果我们从洞口处向里面看，我们在内壁上辨识不出任何细节，我们只能感受到一个光的旋涡，除此我们什么都看不到。假如我们通过一个炽热的熔炉上的小孔来观察里面正在熔化的金属，我们不可能看到熔液的水平面。这说明，不只是在低温下，我们无法辨识烤炉中的物体。（《原子》，151 页）

因此，黑体不再是一个漆黑的缝隙，而是一个光明的使人目眩的深渊，一个“光的旋涡”。然而在任何情况中，黑体都会吸收光线，它的特点是它的吸收性和它的不可见性。这个深渊似乎不是一种物质，然而它并不缺少物质，因为必须有一种物质来吸收光，但仿佛黑就是自己的物质组成部分。巴什拉发现，在所有颜色中，黑色是在想象中最重要的，是唯一确实稳定的：“诗人冥想出一切物质的颜色，其中黑色被看作是最稳定的，它否定了所有可以触及光线的实体。”（《土地与对静息的遐想》，1948 年，35 页）黑色代表着物质性的去除。将这一直觉深化，我们发现，在想象中，黑位于一切事物的核心地带，它象征着物体本质的隐藏，物质的封闭。

物体的暗黑性

然而，物体的不透明性不代表它们对光没有反应。黑体吸收光线，受到这种能量供应的影响，它的温度会升高。这时，它必须通过辐射释放出影响它自身平衡的能量。因此，黑体接收所有的光，它的内部发生了一些变化，然后它将光线以不可见的辐射形式释放出来。它像是一面非常奇怪的镜子，它会将自己接收到的东西进行吸收和转化，然后再把它们释放出来。其他的颜色没有这种暗黑能力，它们只是反射光，是一些表面的能力，缺乏深度的转化。黑体的部分反射遮盖了完美的黑的隐蔽活动。巴什拉强调，这个直觉由来已久。阿那克萨哥拉[1]说过："与我们眼睛所看到的不同，由水构成的雪是黑色的。"这个直觉建立在想象的、推翻原本价值观的快乐之

1　阿那克萨哥拉（Anaxagoras，公元前500—前428），古希腊哲学家，原子唯物论的思想先驱。

上。中世纪的人们希望外表雪白的天鹅内里是黑的。很多作家都支持这个辩证的看法，他们热衷于发现隐藏在彩色虚假外表下的隐秘的黑。奶白色就是这个假象的加强版："如何更好地表达隐秘的黑色，一个虚假的白色物体中隐藏的罪恶……月光下乳白色的水中隐藏着死亡的隐秘黑暗，带着香脂气味的水有墨水的余味，毒药的辛辣。"（《土地与对静息的遐想》，31 页）然而，被逐渐消退的颜色背叛的恐惧只是关于暗黑想象的一种特殊色调。黑体在存在与表象之间保持着更为中性却同样矛盾的关系：它拒绝通过光反射的形式显现，又用尽全力向四周放射出光线。

黑射线

诗人亨利·米肖（1899—1984）描绘的一些幻觉现象，如"黑幻觉"，或者某些梦中的妄想，表明了物体的暗黑辐射倾向。哲学家莫里斯·梅洛－庞蒂（1908—1961）在他的著作《知觉现象学》中，用一段非常有趣的文字分析了这种直觉（因为它绝非现象学上的，最终也无法回归到任何真实的知觉上）：

我说我的钢笔是黑色的，在阳光下我看到它是黑色的。但是与从物体中发射出的黑暗能量相比，这个黑并不明显，即便当它被光线覆盖，也只有在精神的黑暗中才能被看到。真实的色彩始终隐藏在表象之下，如同背景始终在图像之下，也就是说，它不会被看到或者被想到，而是一种非感官的存在。（莫里斯·梅洛－庞蒂，《知觉现象学》，1945年，352页）

根据这个奇怪的描述，当黑暗超越感知时，一个确定是黑色的物体必须无声无息地发光。对于一个像梅洛－庞蒂这样严谨的哲学家来说，让自己进入一个这样的猜想，“辐射的黑体”形象必须是非常强大的，并且它的“黑暗力量”必须对一种深刻的无意识的必然性做出反应。于是，一个关于感知的错误现象学成为一个关于黑体的虚构的准确的精神分析：因为是黑色的，它的黑钢笔躲过了光的运动，黑暗扩散开来。想象力开始在光和暗之间进行角色的反转：在我们最可怕的梦魇中，是不是黑暗在扩散，驱赶了光明？这个可怕的幻想在亚历山大·尤杜洛斯基（1929— ）和莫比斯（原名尚·吉罗，1938—2012）共同创作的系列连环漫画 *L' Incal* 中被赞赏：在这个漫画中，一个“影子蛋”吞噬了星星，通过星系传播一种奇怪的黑色的黏稠的辐射，一种会让宇宙陷入黑暗的黑潮。

因此，黑体辐射不仅仅对于物理学家来说是一个谜，哲学家也同样试图理解这样一个反自然形象是如何产生、扩大，并且获得了一种精神认知，以致它变得黑暗或者吓人。也许这是一种类似于第一次接受罗夏克墨迹实验时，形成的“黑色撞击”效应？测试看似非常简单，人的主观性以及神经官能都从中反映出来。想象的黑色光线为类似的原因而烦恼：通过侵入精神空间，它迫使意识思考在无意识深渊中来回摆动的无形事物。巴什拉强调，一个懂得使用黑色的隐秘膨胀作用的画家，可以以一种非常节省的方式激发深刻而活跃的情感："于是，一个深刻而复杂的黑色墨点，当它从深处显现出来，就足以将我们置于黑暗的境地之中。"（《土地与对静息的遐想》，90 页）这是我们的语言中一种诱惑而神秘的表达：一个辐射扩散的黑体将我们置于"黑暗的境地之中"。黑色的图像出现在如此多的画家和插画家的作品中（我们会从弗朗西斯科·戈雅联想到雨果、奥迪隆·雷东、弗朗坎等），事实上，它们拥有惊人的灵活性和不可思议的能力，可以展现出被压抑的过去的形象，也可以通过扩张来侵扰我们的精神。这种活力使它们既迷人又危险。它们的力量来自想象中的元素，与火、水、空气和土地一样强大而原始的元素：它们在黑暗中展现出来。黑暗元素是一种运动的物质，一种膨胀的移动力量："所有的黑暗都是流动的，因此所有的黑暗都是物质的，这也是对夜晚的梦的物质思考。对真正的梦想者来说，一个阴暗的角落就可以召唤出对浩瀚夜晚的所有恐惧。”(《土地与对静息的遐想》，91 页）对于黑体来说，这种物力论是准确的：内部的黑暗既有吸收性，也有放射性。它不像普通意义上的黑暗一样与光对立，它会吸收光，消化光，最后霸占光的放射力。

这种辐射不是在物理空间中传播，而是在意识空间传播。从此，黑体的形象不再以其与外部光线的辩证为特征，而是成为穿透内部意识的黑光源。已故的格贝（即乔治·布隆多，1929—2004）用两幅充满讽刺、形而上学的漫画，描绘了这道“黑射线”，当我们的意识从一些偶然的想法中解放出来，我们的意识就会发出这道“黑射线”。这个笑话的精彩结尾（在连环漫画《我在这里做什么？》中）是，人类最伟大的天才设想——黑射线几乎要穿透宇宙的神秘之处，却在最后一刻被一只身上写着“$E=MC^2$”的兔子拦住了去路。爱因斯坦进行了一个聪明的设想，而不是加深自己盲目的直觉。可谁又有勇气在黑暗中走得更远呢？

皮埃尔·苏拉日[1]的绘画演变说明了这种会吞没意识的黑射线的扩张力量。从1954年起，黑色开始侵入画布的表面。虽然画家好像长久以来都想抵抗，尤其是通过刮擦的技术，消除表面上已经侵入的黑暗，还引人猜想它经过的痕迹。但这似乎无法瓦解整个黑的支配作用，它令人不安的辐射可能会带来光的缺失。同其他颜色相比，苏拉日始终把黑暗看作珍贵的光的缺失："它缺少最浓烈、最强烈的色彩，而这种浓烈和强烈感被赋予了其他颜色，甚至是白色。"（皮埃尔·苏拉日于1963年与皮埃尔·施耐德的谈话）直到1979年，他才完成了自己的第一幅黑色单色画。艺术家皮埃尔·安珂勒维（1939— ）解释说，应该超越将黑暗与光线对立的传统观点："只要光与暗的对比支配着绘画，即便画布上有黑色的出现，绘画作品中的鲜艳的色彩也会威胁到它，因为此时黑色只有在同光线的比照中才能展现绘

1　皮埃尔·苏拉日（Pierre Soulages，1919— ），法国当代知名艺术家，作品善用黑色。

"发射束流"是一个更为贴切的术语，我们为了使用方便，则称之为射线。

我们把这条射线定性为黑色，其目的是为了将它显像化，就像我们会给消失在土地里的水流染上颜色，以便发现它们的再次涌现。当整个身体最大限度地集中注意力，进行强烈的新陈代谢时，这种非思想的束流从大脑的中心迸发，刺穿鼻根上方的前额，饱含正义感地贪婪地向前冲去，试图连接到那些我们迫切需要验证其存在的未知思想的星系。

大脑像一个发电机一样全速运转。

没有任何规则。一切都是流动的。在这个轨迹的尽头是绝对的知识。

这就是黑射线。

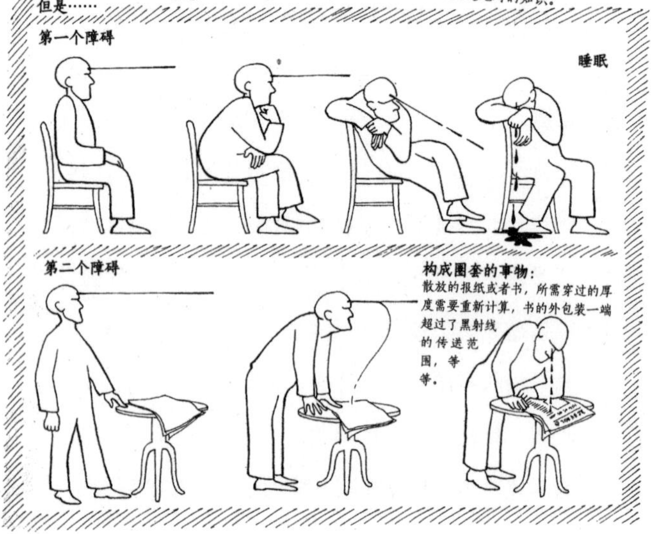

图 6."黑射线"，摘自格贝连环漫画《我在这里做什么？》巴黎，达戈出版社，*1983* 年，*50—51* 页。

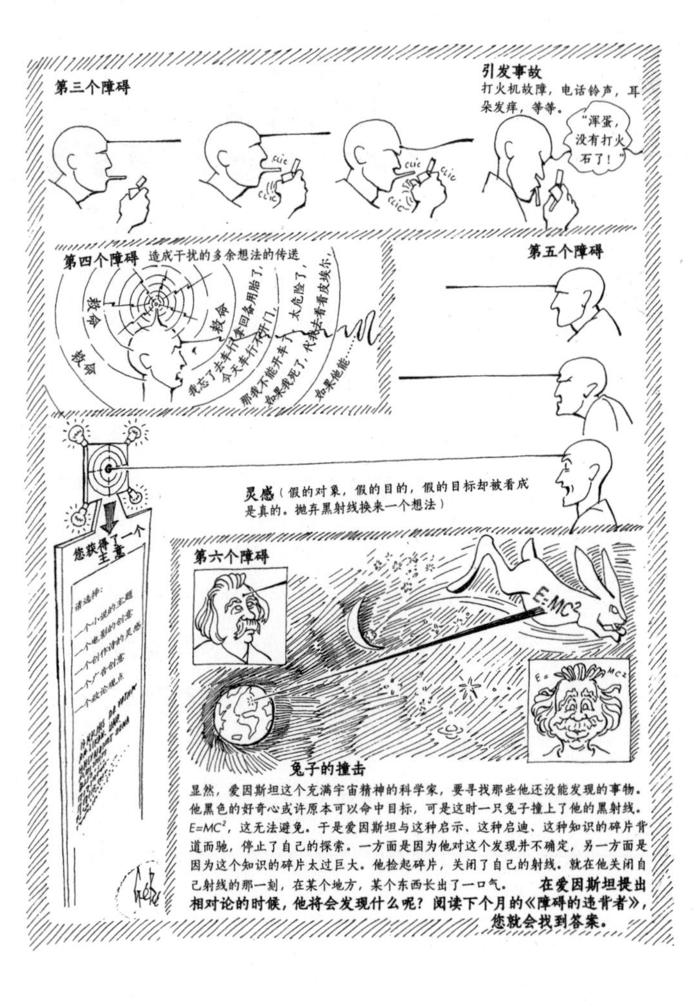
第三个障碍
引发事故
打火机故障，电话铃声，耳朵发痒，等等。
CLIC
CLIC
CLIC
CLIC
“浑蛋，没有打火石了！”
第四个障碍 造成干扰的多余想法的传送
救命
救命
救命
我忘了去车行拿回备用胎了，
今天车行不开门，
那我不能开车了，太危险了，
如果我死了，代我去看看皮埃尔，
如果他能……
第五个障碍
灵感（假的对象，假的目的，假的目标却被看成是真的。抛弃黑射线换来一个想法）
您获得了一个主意
请选择：
一个小说的主题
一个电影的创意
一个创作诗的灵感
一个广告创意
一个政论观点
第六个障碍
E=MC²
E= MC²
兔子的撞击
显然，爱因斯坦这个充满宇宙精神的科学家，要寻找那些他还没能发现的事物。他黑色的好奇心或许原本可以命中目标，可是这时一只兔子撞上了他的黑射线。$E=MC^2$，这无法避免。于是爱因斯坦与这种启示、这种启迪、这种知识的碎片背道而驰，停止了自己的探索。一方面是因为他对这个发现并不确定，另一方面是因为这个知识的碎片太过巨大。他捡起碎片，关闭了自己的射线。就在他关闭自己射线的那一刻，在某个地方，某个东西长出了一口气。
在爱因斯坦提出相对论的时候，他将会发现什么呢？阅读下个月的《障碍的违背者》，您就会找到答案。

画的力量。”（皮埃尔·安珂勒维，《因为》，2009年）对于一些评论家来说，这个改变取决于最终承认黑色是一种颜色的事实，以及黑色不是捕捉光线，而是通过它的质地和光辉来展现自己。然而，这种表面的反射并不能解释黑色对画布空间的决定性的整修。单色画的真实辐射在于黑色那种隐秘的超越，当它侵入整个画布并使形态模糊不清的时候，这种超越就会显露出来。当画家不再惧怕会在这种创作中失去个性时，他画出一些黑色，这些黑色不再面向欣赏者的感知意识，而是面向无意识的黑暗旋涡。为了转换为全黑的光彩，意识必须委身于黑暗的元素，而且要知道，**意识与意识的内容，两者的区分会彼此消除**。这对于本身就很微妙的哲学直觉来说是一个难以理解的公式。对于一个研究黑体辐射的物理学家来说，它一点也不比计算活动量子的公式简单。

潜意识的黑暗意识

1894 年，就在马克斯·普朗克发现“黑体辐射不连续”的这一年，保罗·瓦勒里[1]撰写了《列奥纳多·达·芬奇的方法引论》。在这本略显年轻气盛的书中，他企图把自己放在天才列奥纳多·达·芬奇(1452—1519)的位置上。25年后，他又添加了一些不那么狂妄却同样深刻的评论。他最初那种想要揭开达·芬奇作品的设计之谜的想法，被试图澄清赋予这些作品意义的非个人意识的愿望所取代。他认为，意识之谜绝对是一个“黑体”。因为意识是吸收一切的东西，却不能显现自己的光。意识是**意向性的**，引用让-保罗·萨特（1905—1980）的话说，它属于“意识的东西”：我们只有通过意识才能和事物有精神接触，但同时意识也与这些事物存在距离；因此，它总是能够将自己与自己所照亮的东西区分开来，而无法照亮自己。自我意识与意识不可能同时发生又相互区分。仿佛有一种“注意量子”，

1　保罗·瓦勒里（Paul Valéry，1871—1945），法国诗人、散文家和哲学家。

将意识与意识的内容分开，不可解决的不连续性。因而，意识可以带给我们一切，却不包括意识本身："这不再是一个吸收一切却什么都不给予的黑体。"(《列奥纳多·达·芬奇的方法引论》，102页)

为了掌握意识本身的概念，瓦勒里在冥想中进行了一种类似被现象学家埃德蒙德·胡塞尔(1859—1938)称为"悬置"的活动，即中止自然的现实主义行为。意识必须要停止对意识之外存在的依赖，才能确定意识的组成部分。胡塞尔和笛卡尔一样，都开始去除自己意识中**世俗**的内容。通过剥离所有的内容，意识发现自己的意向性结构，也就是说，它只是思想内容("思想")和物体目的("思维")之间的关联。瓦勒里没有关注这一点，而是完成了一个"悬置"来揭示意向性结构。最终，意识作为必要存在，只包括"两个本质上未知的主题：自我和X"(《列奥纳多·达·芬奇的方法引论》，102页)。同时，他发现了他的意识的"裸体"，这是世界和他的身体之间脆弱的接触面。将注意力转向意识本身，转向意识构成的黑体，他发现，栖身于意识的黑体通过意识来显现：

存在无法自我欣赏，只能欣赏对面的景象。然而，存在感到自己构成了整个夜晚，这个喘息的、被定了方向的夜晚。所有完整的夜晚，狂热的夜晚，静谧有序的夜晚，都是由一些自我约束或自我压抑的有机体组成；夜晚充斥着黑暗，而在这黑暗中，身体器官按照自己的属性，跳动着，呼吸着，发热着，守卫着，在自己的位置上完成着自己的职责。（《列奥纳多·达·芬奇的方法引论》，105 页）

换言之，无法看到真相的意识不会凭空消失，它明白为什么自己既不在意识之内也不在意识之外。它是一个透明介质：在作为外部世界意识的同时，它意识到使意识产生的身体的无意识存在。瓦勒里的自我意识并不像现象学家胡塞尔的那样理想化：意识知道自己是身体与世界的连接点。它可以暂时接受自己无法看到真相，失去知觉，让自己的目标消散在模糊的黑暗中，从而回到身体与意识之间隐秘的、原始的模糊之中。

在日常生活中，这是每个人都记得的童年经历（长大后的情欲体验）：当我们陷入黑暗，意识不再飘浮在我们的身体之上，不再被束缚着，而是成为身体本身，成为恐惧，成为欲望。也许直觉会回溯到更久远的时候，回到在母亲腹中的时空，回到最初的黑暗的温暖中。

无论如何，关于黑体辐射的想象实验的深层含义似乎是要激起一个矛盾的自我意识：它没有在事物的意识中忘记自我，而是成为意识本身，因为它无法分辨任何东西，于是它在成为别的事物的意识之前，意识到了一个黑体的辐射。苏拉日的作品《黑色之外》（*Outrenoir*）利用的就是观看者的无意识，让观看者停留在这幅作品前，任自己被带入黑暗之中。在观看者与黑暗的交流中，在陷入黑暗的感官愉悦中，在黑色辐射带来的温暖中，意识与源自无意识深处的黑暗力量达成了新的平衡。让-克洛德·菲力和约翰·克莱德·费罗通过自反而有趣的展示（反复展示），正确使用单色画将两个黑体和画布展现在观众眼前。

Part 3

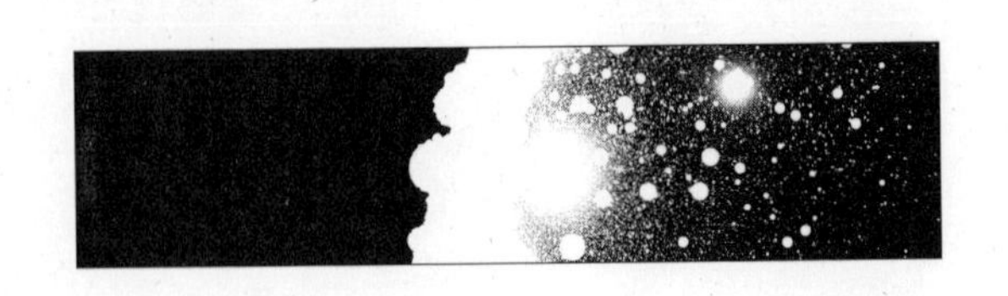

A 黑洞

黑洞既不是洞，也不是黑色的，它的边缘是灰色的。
——米歇尔·卡斯[1],《光明中的黑洞》
(*Les Trous noirs en pleine lumière*)

1783年，英国物理学家、天文学家，可敬的约翰·米契尔（1724—1793）给皇家学会写了一封信。他在信中提出了一个质量大到光线无法透出的星体的存在。他还假想了一个定位这种星体的探测原理："如果某个发光体围绕它们旋转，我们根据这些旋转体的运动，就有一定的可能性推断出被作为旋转中心的物体的存在……"1796

---

1 米歇尔·卡斯（Michel Cassé，1943— ），法国天体物理学家、作家和诗人。主攻核合成和量子力学。

年，皮埃尔－西蒙·拉普拉斯（1749—1827）在他的《宇宙系统论》中独立地做出了相同的猜想："一个与地球密度相同、直径比太阳大250倍的发光星体，由于它本身的引力，它的任何光线都不能传到我们眼中。"而他的这个理论和他的前辈的理论一样，并没有获得认同，因为在同时，英国物理学家托马斯·杨（1773—1829）和法国物理学家奥古斯丁·菲涅耳（1788—1827）进行了光的干扰实验，这些实验证明光是一种没有重量的波，因此不受引力影响。然而，在18世纪末被命名为"封闭星体"的这个概念，在20世纪有了"黑洞"这个新名字，并且随之名声大振。

黑洞是什么？

我们都知道，一个被抛向高空的球在达到最大高度后会最终落地，抛球的力气越大，球的高度就越高。这是地球重力的一个表现，因为地球的重力会将所有的东西向地心拉去。球的高度会随着初始速度的平方增加：抛球的速度快两倍，球的高度就是原来的四倍。如果抛球的速度足够快，超过每秒 11.2 千米（约每小时 4 万千米），球就不会再落到地球上，而是会彻底摆脱地球的引力。只有行星际探测器的发射器才能达到这个足以摆脱地球引力的速度，让我们可以看到我们身处的太阳系。这个逃逸速度与行星的质量和半径的商的平方根成正比，一个比地球大 4 倍或小 4 倍的行星的逃逸速度会是地球的两倍。光的速度约为每秒 30 万千米，拉普拉斯算出，为了让光线无法逃逸，一个与地球密度相同的恒星的半径应是太阳半径的 250 倍。显然，拉普拉斯公式只适用于经典物理学中的物质抛射体，不能先验地适用于粒子，即光子，质量为零的光线。

关于引力对光产生影响的缜密研究必须在爱因斯坦于 1915 年发表的广义相对论的框架内进

行。这个理论指出，引力的作用实际上是时空的几何表现，它本身是建立在物质和能量分配之上的，时空因它而变形、弯曲了。自由运动的粒子必须沿着新几何中较短的线，也就是短程线来运动。因此，与经典理论相反，光虽然没有质量，但也会受引力影响，或者更准确地说，是受时空的弯曲影响，它的轨迹在一个巨大的物体附近会偏转。英国天文学家亚瑟·爱丁顿（1882—1944）在1919年的日全食期间首次验证了这一效应。在日全食期间观测到的接近太阳方向的恒星的位置与在一段时间后测量到的这颗恒星的位置之间存在着微小差异，这和爱因斯坦的计算完全相符。这是对于他的万有引力新理论的一个有力证明。今天我们知道，爱丁顿使用的实验器具太不精确了，以至于这个观察结果并不是真正有说服力的，但是，除了这个幸运的巧合之外，科学家又多次重复了这个实验，都明确证实了爱因斯坦的预言。

如果时空的弯曲会影响光线，那么在广义相对论的框架下，我们就有可能再次计算在何种条件下，星体能够限制光线的逃逸。爱因斯坦的理论证实了一个临界半径的存在，当星体的半径小于临界半径时，光线就无法从星体中逃逸。让我们出乎意料的是，计算这个临界半径的公式与由经典理论推导出的拉普拉斯公式完全相同。这个临界半径被命名为史瓦西半径，以纪念在 1915 年计算出这个半径的德国物理学家卡尔·史瓦西（1873—1916），这个半径和物体的质量成正比，例如，根据史瓦西的公式，要将太阳转化为黑洞，必须将它的全部质量压缩成一个半径仅为 3 千米的球体！

在光线和物质无法逃逸的区域外有一个球形的表面，我们称之为黑洞的“视界”（horizon）。它是一个几何表面，不是真实物体，我们赋予它这个名称是因为它和地球的“地平面”类似，都是视线范围的边界。如果说地球上的地平面位置取决于观察者的位置，那与之相反，黑洞的视界是绝对的。它是时空的边界，与观察者的位置无关，并且会将所有的事件分为两类：在视界面之外，通过光信号我们可以在任意大的距离之间进行联系，这就是我们居住的普通宇宙；在视界面之内，由于光线要向中心聚集，因此它们无法在任意两点之间自由移动，联系受到了严格的限制。例如，物质和辐射可以从外部区域传到内部区域，却无法从内向外传播。这甚至证明了“黑洞”这个在1967年由美国理论学家约翰·阿奇博尔德·惠勒（1911—2008）提出的术语，因为在当时这只是一个理论上的可能。惠勒是一个充满想象力，并且对最大胆的猜测也抱有开放精神的理论学家。除了“黑洞”，他还普及了很多极为新颖的概念，比如“多重世界”“虫洞”“时光倒流的粒子”，以及物质与信息之间的平行论。这些概念往往只是人们想象出的观点，但是能证明黑洞这个著名理论存在的证据出现在1971

年：天体物理学家们探测到了天鹅座x-1，这个二元系统的特征表明它是由一个黑洞和一颗巨大恒星组成的。此后，在我们身处的星系中又发现了大约 20 个黑洞，其中最大的一个——其质量达到了 400 万个太阳质量——就隐藏在银河系的中心。正如文森特在下一章中所指出的那样，有一个黑洞存在于银河系中心，这冲击着我们的想象力，但黑洞本身并不是邪恶的，恰恰相反，它有利于银河系的稳定和发展演化。2002 年，我们通过观测银河系中心附近的恒星轨道，发现了黑洞的存在。2022 年，视界面望远镜项目将通过结合分布在地球整个表面上的无线电望远镜的数据，来制作这个中心黑洞视界附近的图像。目前的观测还显示，在一些活动星系的中心，如 M87 星系，存在着一个超大质量的黑洞，其质量可以轻松超过 10 亿个太阳质量！

如果说黑洞确实存在，仍然需要提出一个能够解释黑洞形成的机制。恒星的黑洞——其质量至少是几个太阳质量——是由于一颗大质量恒星（约为 10 个太阳质量以上）的中心引力坍缩而形成的。事实上，当恒星达到硅的热核燃烧阶段时，其结实的内核的质量会增加，直到变得不稳定。恒星的内核坍缩并产生一个中子恒星，而恒星的外壳则被一个名叫“超新星”的巨大爆炸吹散。1939 年，美国物理学家罗伯特·奥本海默（1904—1967）指出，如果中子恒星的质量超过 3 个太阳质量(兰道 - 奥本海默 - 沃尔科夫极限)，星体自身的引力绝对强过所有其他的相互作用，黑洞便形成了。自此，黑洞成为宇宙大爆炸的一部分，尽管长久以来，天体物理学家的工作仅限于通过观察来探测黑洞存在的间接影响。而这一情况在 2015 年 10 月发生了变化，因为美国的激光干涉引力波天文台（LIGO）首次探测到了引力波。物理学家们在所记录的振动中看到了关于一个巨大振荡的证据。在 13 亿光年外，有两个黑洞，质量分别是 36 和 29 个太阳质量，它们以每秒 250 转的速度围绕共同的重心旋转，最终合并为一个唯一的、巨大的、质量为 62 个太阳质量的黑洞。3 倍于太阳质量的质量差已经以引力波的形式被放射掉了。

在黑洞视界的边缘

黑洞真的是通常描绘中的宇宙怪物吗？不是的！在距黑洞的距离超过黑洞的史瓦西半径时，时空与同质量的正常星体的时空是无法区分的。因此，将太阳转化为黑洞，对行星的运动没有任何影响，而将黑洞想象成一种可以在所经之处吞噬一切的宇宙吸尘器，至少也是一种夸张。只有在黑洞视界这个界面附近，才会出现黑洞特有的时空变形。

我们在黑洞视界的附近会感受到什么？一种对脚和头的奇怪而强烈的拉伸感。你的身体有一定的空间延伸，它的不同部位探索着不同曲度的区域，这些不同曲度被解释为引力场的差异。我们也会在地球表面体验到这种潮汐力，我们可以很容易地观察到这个壮观的结果：由于太阳和月亮的相互作用，就有了海水的潮起潮落。在经典物理学中，重力的强度取决于物体之间的距离。因此，地球上靠近月球的区域比位于对跖点的区域更容易受到月亮的吸引，在地球的参照系中，这会引起海水的明显变化。我们的脚，因为比我们的头要更接近地球的中心，也更受地球的吸引；从我们的角度来看，这个吸引力是一个拉伸的力量，在地球表面，这个力量的强度非常微弱，不到你体重的百万分之一。在黑洞视界的附近，你的头部感受到的引力和脚部受到的引力之间的差异要明显得多。对于质量为 10 个太阳质量的黑洞来说，你感受到的牵引力就好像是你被吊起来，巴黎地区的人挂在你的脚踝上一样！而奇怪的是，黑洞的质量越小，这个效果反而越强。这个明显的矛盾有一个简单的解释：潮汐力的强度与造成潮汐力的星体密度成正比。由于黑洞的半径与其质量成正比，所以它的密度（与质量除以半径立方的商成正比）随着其质量平方的倒数而减小。因此，一个质量为 100 万个太阳质量的黑洞产生的潮汐力比一个质量为 10 个太阳质量的黑洞产生的潮汐力小 100 亿倍。所以，我们可以出入超大质量黑洞的边缘："巨人"黑洞的巨大质量使得电影《星际穿越》的主人公能够进入黑洞之中。

由于黑洞存在而引起的时空扭曲还有另一个影响：当我们向远处的观察者发射时钟信号时，在观察者看来，时钟信号的频率仿佛变弱了。因此观察者会觉得靠近黑洞的时钟比自己的时钟要慢。时钟频率的下降也可以表现为发射光的频率下降：光线比发射时显得更红。

现在，如果你决定穿越这个视界面，并将你这一壮举的图像寄给你的同事，会发生什么事呢？对你来说，在这个穿越的过程中，不会有什么特别的事情发生：黑洞的边界并没有神奇之处。相反，身处视界之外的你的朋友永远看不到你穿过这个界面！随着你逐渐接近这个界面，放映的影片似乎变慢了，因为接收两个连续图像间隔的时间越来越长。时间膨胀的原理就是，几乎相同的图像彼此相连，达到的视觉效果就是你被凝固在你穿越视界面时的位置上。而且，由于光线的变红和强度的降低，接收到的图像很快变得太弱而无法被接收。对于位置遥远的观众来说，在黑洞内部发生的这一部分旅程都是缺失的。在穿越视界面时传输的图像只能在无限的时间之后才能被接收到，而之后的图像将永远无法穿越黑洞视界。

在怪物的肠道中

在黑洞的中心有一个时空曲率趋于无穷的区域，因为整个质量汇聚于此。关于这个“奇点”的描述是一个真正的、依然悬而未决的理论难题，因为这个描述必须考虑到不包括在广义相对论中的量子效应。尽管如此，由于这个奇点不会影响到黑洞视界以外的时空，因此即便我们无法正确地描述它，我们从视界的这一边看到的黑洞的景象却是毋庸置疑的。从理论的角度看，在黑洞的中心只有一个黑暗的区域。

我们还是要探索一下奇点周围的区域。这个区域可以说是一种运动：它不仅处于运动之中，而且由于它的几何形状向中心倒塌，它还会促使所有位于这一区域中的物体运动起来。结果就是：在黑洞的内部物体无法静止不动，并且出现的运动轨迹必然集中在星体的中心，也就是说，我们可以将一个黑洞的内部描述为一个“翻转的”世界或时空。在通常的时空中，我们可以向任何空间方向移动。而时间的移动则只能是由过去向未来：这是一个定向坐标。而在黑洞中，角色发生了反转：黑洞中心的距离成了定向坐标。在测量中，空间代替时间成为一种“必然”，所有的物质都不可避免地发现自己与中心之间的距离缩短。这一情况让我们回忆起克里斯托弗·普里斯特（1943—　）的科幻小说《倒立的世界》的开头："我的年纪已经达到了一千千米。"但是请注意，改变黑洞内的时间坐标的状态不能让我们就此回到过去和改变因果关系！其实，时间坐标不再代表一个物理上的时间。在这个环境中唯一能够保持一个方向的时间就是固有时间，这个时间是由一个和你一起向黑洞中心自由下落的时钟测算出来的。在黑洞里，固有时间只取决于距离坐标，当距离变短时，固有时间增长。因此，就像在黑洞外一样，一个自由下落的旅行者的固有时间继续向未来流逝。一个明显的区别仍然是，这个未来有一个计划好的结尾：奇点位于黑洞的中心，奇点之上**不再有未来**。有限的固有时间的间隔出现在穿越视界面的时刻和旅行者聚集在中心奇点的时刻之间。这个间隔的时间越长，黑洞就越大。对于一个质量为 10 个太阳质量的黑洞来说，这个时间间隔只有千分之一秒，但是对于一个超大质量的黑洞来说，比如那些位于星系中心的黑洞，这个探测的时间可以持续一个小时。

一个不是那么黑的洞……

在20世纪70年代，英国物理学家史蒂芬·霍金（1942—2018）就黑洞问题确定了一个基本的却出乎意料的结果。通过应用量子物理的规律，他指出黑洞可以放射光线，甚至是放射物质！这个结果似乎与黑洞的定义本身互相矛盾。为了理解这种奇怪辐射的原因，首先要记住在当代量子物理学中，波和粒子的概念都消失了。它们被“场”所代替了，这些物理概念能够描述所有可能的物质状态，无论涉及的粒子数量和能量如何。在这一理论框架中，真空的定义不再是当一切都被剔除时所剩下的东西，而是能量非常小却不为零的场的状态。并且，在微观世界里并不存在绝对的静止，一个系统的能量在微观世界中持续波动。

在真空状态下，这些波动表现为所谓的“虚

拟”微粒的短暂出现，这些微粒会从真空中浮现，前提是它们可以迅速回到真空当中。在无限小的情况下，可以说是有可能借用一定数量的任意能量，也就是可能违反质能守恒定律，前提是能够很快偿还这些能量，尽管我们无法直接观察到，这些转瞬即逝的虚拟微粒可以与真实的粒子进行相反的作用，比如改变它们表面的电荷。

如果说能量的守恒被暂时打破，电荷的守恒却始终保持着：虚拟微粒总是以粒子 - 反粒子的形式成对出现。当成对的虚拟微粒在黑洞视界附近变成有形物质时，这就与我们的主题有关了。成对的虚拟微粒中的一个可能掉入黑洞当中，另一个则逃离到了无穷远。在一个遥远的观察者看来，这似乎是一个粒子从无到有的自动物化。当然，这些被发射的粒子（基本上是光子、电子和反电子、中微子和反中微子）并不都具有相同的能量。霍金指出，光子的能量分布与黑体发出的辐射光的分布具有相同的形状！因此，他能够给予黑洞一个和黑体温度类似的量值，并指出这个量值和黑洞的质量成反比。实际上，一个质量为几个太阳质量的黑洞的温度为十亿分之一开尔文，但是一个质量只有十亿吨的小黑洞发出的辐射热量约为1000亿开尔文。如我们之前所说，从黑洞外的角度看，仿佛质能是凭空产生的。事实上，辐射产生的质能都源自一部分黑洞质量的转换。因此随着辐射的产生，黑洞的质量和尺寸会缩小，天体物理学家称之为“黑洞蒸发”。这是一个发散的过程，因为当质量减小时温度升高，辐射的能量也不断升高，于是会加速黑洞质量的减小。最终，当辐射能量达到很高时，我们就说黑洞“蒸发”了。

一些物理学家已经有了将微型黑洞辐射应用为能源的设想。只需把微型黑洞安置好，如放在轨道上，并通过定期增补物质来弥补质量的损失以阻止辐散。结果表明，一个史瓦西黑洞的能量生产率最高可以达到5.7%，而一个快速旋转的黑洞的能量生产率可以上升到42%，这两种情况都比热核聚变获得的 0.7% 的生产率高得多。在科幻小说家查尔斯·谢菲尔德（1935—2002）的作品《麦克安德鲁的编年史》中，作者恰好描写了一位通过从黑洞中汲取神奇能量、创造出第一艘星际推进飞船的物理学家。

宇宙旋涡

和行星以及恒星一样，黑洞也可以旋转。然而情况有所不同，因为一个旋转的黑洞不会像陀螺一样在一个静止的外部空间中转动。黑洞以一种旋涡式的不可抵抗的运动驱动着它周围的时空。一艘运动中的飞船会在它附近的区域里发现什么呢？

为了理解这一点，让我们继续与清空浴缸的水时看到的旋涡来做类比。在这种情况中，水在做一个螺旋运动，这个螺旋运动可以分解为一个围绕出水口的圆周运动和一个朝向出水口下方的径向运动。现在让我们想象有一艘船行驶在湖面上，而湖底有一个类似清空浴缸时的那种旋涡，这艘船行驶到了旋涡附近。船的发动机可以让船的最高时速达到 20 千米。在远离旋涡的地方，水面依然比较平静，显然船长可以任意航行，因为有发动机的动力，尽管有水的驱动力导致船发生缓慢的偏移，他依然可以校正航向。因此船长不用抛锚就可以控制自己的船和湖岸的距离，他可以让船靠近或者远离旋涡，甚至可以逆水流方向航行。当靠近旋涡的中心时，船只最终会进入一个区域，在这个区域里水流旋转流动的速度和船的最高时速相等。在这个临界距离以下，即使船的行驶方向是旋涡的相反方向，即使发动机全速运行，船也无法保持固定的位置。它无法抗拒地被推向旋涡的旋转方向。操纵船只的可能性降低，船只可能的行驶方向也不再是任意的：船只只能向前移动，旋涡旋转得越快，船只在区域中就越受限制。舵手可以熟练地摆脱这一尴尬情况，他要把油门全开，根据一个外向的螺旋轨迹正确地定位航向，并将船只引向远离旋涡中心的方向。如果船只冒险地去靠近旋涡中心，那么在一个时刻，水流的径向速度会达到每小时 20 千米，这就是船只的极限速度。这是真正的麻烦开始的时候：掌控船只航向的可能性变得非常低，于是船只别无选择，只能被拉拽到旋涡中心……

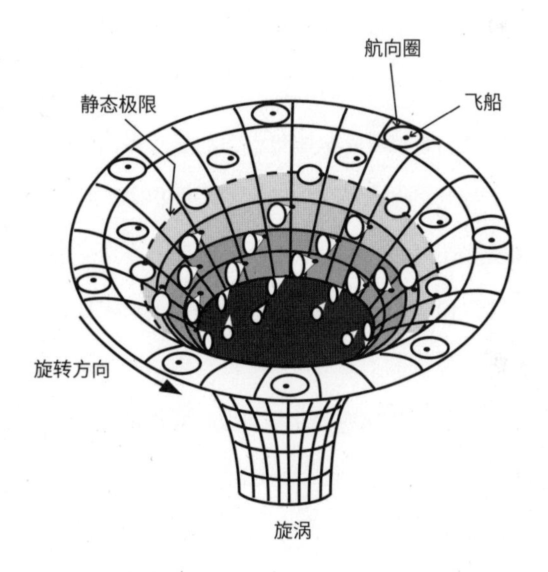

图 7. 飞船在旋转的黑洞周围的运动：无论航向和飞船速度如何，一秒之后，它必然会进入航向圈中。(© *Jean–Pierre Luminet*)

在旋转的黑洞周围，情况是类似的。一艘接近黑洞旋涡的飞船也要承受黑洞旋转导致的时空驱动力。这个运动在一个被称作“静态极限”的曲面里成为一种必然。在这个区域内，即使宇宙飞船的速度可以达到光速，它也无法与遥远的恒星保持相对静止！当我们继续接近黑洞时，我们会再看到之前所说的黑洞视界，它是黑洞的真正边界，是一个任何物质都无法逃脱的界限。一个旋转黑洞的视界完全被包含在静态边界内。对于一个旋转的黑洞来说，在静态极限处，时间仿佛“冻结”，发射的辐射被接收时伴随着无限的红移。但是物质和辐射最终会被限制在黑洞的表面。位于静态极限和视界之间的时空区域被称为能层[1]，因为它的属性可以让我们从中提取出能量。

英国物理学家罗杰·彭罗斯（1931— ）想

1 法语为“ergosphère”，这个词来自希腊语的“ergos”，意为工作。

象了下面这个巧妙的机制：在一个远离黑洞静态极限的位置上，我们朝能层方向抛射一个物体。这个抛射物的设计使得它可以在操作者设定的时间分成两部分。如果我们认真挑选初始轨迹，那么其中一部分最终将被黑洞捕获，而另一部分则会穿过能层并被收回。彭罗斯证明，抛射物这样被发出，可以使得被收回的那部分的能量大于初始抛射物的能量。这就使得被黑洞捕获的那部分在落入黑洞时，运动的轨迹是与一个黑洞旋转方向相反的螺旋轨迹。逃脱黑洞的那部分所收回的能量来自哪里呢？来自黑洞！对于黑洞来说，这个操作最终导致的结果就是质量增加，以及旋转能量下降。因此，旋转的黑洞起到的是一个巨大的能量储备的作用，如果我们足够熟练就可以从中获取能量……

我们可以理解，黑洞的惊人属性自然成了科幻作家最常用的主题之一。这些可以扰乱周围时空的迷人星体，常常被用作通往其他宇宙的

“大门”，仿佛我们身处的宇宙还不够大！因此在电视剧《巴比伦 5 号》中，太空旅行是通过人造黑洞完成的。作家丹 · 西蒙斯（1948— ）在他的小说《伊利昂》和《奥林帕斯》中赋予了莫拉维克人通过黑洞之间的桥梁在太阳系中移动的能力。类似的构思还出现在弗雷德里克 · 波尔（1919—2013）的《大门》和卡尔·萨根（1934—1996）的《接触》中，后者在 1997 年被改编成电影。黑洞经历了很多：这个概念从空想的思辨变成了天文学的现实状态，它的独特属性又使它成为科幻小说的中心主题。

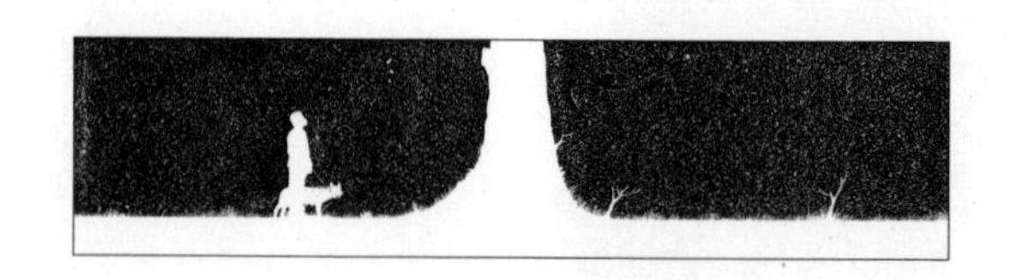

B　黑洞引力

在那里，我们可以长久地沐浴黑暗……

——夏尔·波德莱尔[1]，《世界以外的任何所在》

正如罗兰所解释的那样，“黑洞”是一颗巨大的、密度极高的恒星，因此光线无法从中逃脱。夜晚的天空净化了大地的黑色，黑体的黑色超越了色彩的光谱，而黑洞则又超越了另一个黑暗的关卡，黑色具有一个巨大的引力。所有的光不仅不能驱散这种黑暗，甚至无法从中逃脱。形容词“黑”经历了这样的强化，它也不再只满足

1　夏尔·波德莱尔（Charles Baudelaire，1821—1867），法国19世纪最著名的现代派诗人，象征派诗歌先驱，代表作《恶之花》。

于站在光亮的对立面，它对光产生了威胁。它表示的不再是面对光线时的躲避，而是一个会吞噬光线的黑洞……如巴斯卡·基亚所写：“一个黑洞的引力胃口之大可以与光速匹敌。”（《评判的批评》，2015年，92页）在广义相对论的框架下，这意味着黑洞的质量可以将时空扭曲成一口无底的深井：一切都可能掉入这个深井中，再也无法浮现。这是极度的内爆。因为这颗星体已经发生了崩溃，它被称作“洞”。因为它会吸收物质和光，它被称为“黑”。然而，这两个词的隐喻性功能并不太完全。

将宇宙中物质的最密集集合称为“洞”，是不是有些自相矛盾？通常洞是空的，而不是装满东西的。罗兰说过，黑并不是绝对的：所有的黑洞的边缘处都是有点发灰的……然而，我们的遐想必须从探索“黑”这个形容词的含义开始，探索的方式是从关于黑洞的理想判断中而非现实的边缘处获得灵感。从理论上讲，黑洞的黑暗是如此强烈，以至于它会吸收光线，让光线无法离开。这个黑暗被转化为想象，它拥有一个与黑体膨胀截然相反的动力。黑洞以它不可逾越的引力将所有的时空集中在一个奇点上，并禁止了一切与外部的交流。它成了一个湮灭的象征。

宇宙坍缩

人类的意识水平已经不足以让我们理解这种不可抗拒的黑暗吸引力的想象意义，必须上升到真正的宇宙意识水平：黑洞的产生源自最庞大的恒星的死亡。作为时空的奇点，黑洞代表了一个宇宙级创伤。在它的黑暗中，有某一种东西在影响宇宙的结构和节奏，并且损伤了新柏拉图主义者口中的“世界的灵魂”。这个创伤带来了永恒的哀悼：黑洞象征的是对光的不可逆的捕捉，尽管人们认为光是不可捉摸的，实质上光是自由的，并且是永存的。在宇宙的生命中，发生了一些不可逆转的事件和难以逾越的灾难。

我们常把黑洞想象成可以吸入周围物体的虹吸洞道。仿佛整个宇宙必须吸收一切。然而在黑洞视界以外，任何与外界的交流都无法实现，黑洞对空间的扭曲和对其他物体的扭曲无异。黑洞的不可抗拒的命运只会威胁光和物质的存在，而这些存在会冒险地穿过一道命运的视界面：潮汐效应的强度会将光和物质无限拉伸，然后将它们合并到黑洞的质量以及巨大的密度当中。黑洞不会试图遗漏我们，它孤独地延伸着，与世隔绝。远离“静态表面”之上的物质继续着它们平凡的生活，而靠近“静态表面”的物质，即便它们抵抗着这个吸引力，也会有一种自此陷入崩溃轨道的感觉。它们也知道自己除了任由自己被带走之外无计可施。

因此，黑洞是**宇宙坍缩**最强有力的证明：没有任何东西可以缓解这种灾难，因为一切太靠近它的物质最终都会被吸入。空间和时间的结构似乎在躲避那些任由自己被吸入的物质。它们没有力气移动或升起。当宇宙的主体部分在静止的坍塌中崩溃时，宇宙变暗了。这黑色的吸引力是巨大的、无法比拟的。这里要考虑到某个可怕的事情，在我们身处的银河系中心，有一个同样非常黑暗的、贪婪的和沉重的存在。隐藏在黑体中心的黑暗抵挡了光线，可这黑暗并不阴沉，甚至还包含着一些温暖。而在黑洞中，黑暗带着一种负面的含义，获得了一种令人担忧的积聚动力。关于空气的想象，巴什拉强调解脱和上升的遐想与堕入罪恶的黑暗深处之间的对立。黑暗将我们吸入旋涡，在深渊的底部等待着我们。一切行将结束的梦中的坠落都完结在黑暗的中心："好像深渊的黑暗可以擦除一切，仿佛最后坠落的只有一种颜色：黑色。"（《土地与意志的遐想》，400 页）在黑洞的召唤下，我们的脑中充满了学术上的遐想，我们的遐想围绕着这无法抵挡的"深渊的黑暗"的语义世界，屈服于这种颜色魅力的人肯定会有一个不幸的命运。巴什拉用一些造成凄凉回响的词语完成了他对隐秘夜空的再现："它是坠落旋涡的时空。更远处，在一个完成的坠落中，诗人将会看到黑色。于是'黑与空'紧密地结合在一起。坠落完成，死亡开始。"（《土地与意志的遐想》，402页）"死亡开始"，这是多么非比寻常的用语啊！它与天体物理学家那个同样令人回味的用语完美契合："跨越事件视界"。它没有回来，只剩下黑色星体无法逃避的吸引力。这是对浪漫主义诗人所颂扬的不可避免的毁灭的一种迷恋。

忧郁的星体

为了准确说明一个如此可怕的黑色的色彩差异，我们想起了那个经常出现在浪漫主义诗歌和版画中的"黑色的太阳"。没有人能比维克多·雨果更好地描写它了：

在那里，一切都浮现并消失在昏暗的沉船中；

在这个旋涡里，没有边界，没有气窗，没有墙壁，

灰烬不断地从这些曾经存活过的东西上倾泻下来；

当我们的眼睛敢于向下看时，我们看到了底部，

超越了生命、气息和噪声，

夜晚从可怕的黑色太阳中蔓延出来！

（维克多·雨果，“影子的嘴说的话”，《沉思集》第六卷，*26* 页）

每一句诗句都仿佛预示了这场罗兰邀请我们参与的危险旅程：一旦我们离黑暗的星体太近，就会被捕获；一旦我们被捕获，就不可能抓住任何东西；一切都被拉入黑暗的中心，毁灭我们所有希望的黑色的太阳就在那里。

这颗令人忧郁的星体已经出现在了德国画家阿尔布雷希特·丢勒（1471—1528）的绝妙版画《忧郁 I》（1514）中。画面展现了一个拥有天

使翅膀的美丽女人，周围围绕着权力、财富和知识的象征物。然而她对这些并不在意，而陷在某一种病态的思想中，她的表情中沉思多于忧伤。在她的身边，一只狗打着盹，一个小天使像是很无聊。在夜晚的天空中，一个小恶魔展开忧郁的旗帜，在一颗似乎吸收了所有光线而并没有发光的星体之下扬扬自得地飞翔。积聚的力量占了上风：如精神集中在阴暗的反思上一样，光芒凝结在一颗黑色的星体上。

法国诗人热拉尔·德·内瓦尔（1808—1855）先于天体物理学将一颗恒星的死亡归因于这颗黑暗星体的诞生，这颗黑暗星体使他的诗歌充满悲伤："我唯一的恒星死了，还有我布满星星的鲁特琴，带来那忧郁的黑色太阳。"（《被剥夺者》，1854 年）他忧伤的梦最终将他推向了自杀。今天，查尔斯·伯恩斯（1955—　）创作了美丽却让人不安的漫画《黑洞》，它重现了这个浪漫命运的神话：一种奇怪的疾病导致处于青春期的青少年发生可怕的突变。黑洞象征着一代人生活的痛苦，危险性欲的烦扰以及厌世的年轻人对死亡的迷恋。黑洞可能是卡尔·古斯塔夫·荣格[1]眼中对人的个性的最高考验：意识到失败是可能发生的，甚至是不可避免的。

忧郁的浪漫神话还取决于这样一种观念，即创造者的个性将灵感的天赋与一种不可抗拒的忧郁结合起来，当这种忧郁诞生于对人类状况清楚的注视时，它就会更加难以抗拒。这个思想并不新奇。自从希波克拉底医学描述了黑胆的特性——这一疾病的产生是由于黑胆汁过量，像是一种严肃而认真的幽默，哲学家和医生们便不再揣测天才和忧郁之间的神秘联系。长久以来被认为是亚里士多德所著的小专论《问题 ×××》中强调天才中有大量的癫痫病患者，这种高级的疾病被认为是由于黑胆汁分泌过多导致的。年代

---

1 卡尔·古斯塔夫·荣格（Carl Gustav Jung，1875—1961），瑞士心理学家，分析心理学的创始人。

离我们更近一些的艾萨克·牛顿爵士，他提出的万有引力定律使我们可以设想一个“封闭星体”的存在，光线无法从这个星体中逃逸，这是关于相对论中黑洞的经典预言，而牛顿本人不就是癫痫病患者嘛！

当然，这只是迷信和无稽之谈。发现遮光效应的约翰·米契尔和皮埃尔·西蒙·拉普拉斯，提出广义相对论的爱因斯坦，推测出黑洞存在的卡尔·史瓦西（其姓氏的含义为“黑色的盾牌”），以及赋予这个宇宙奇点一个令人不安的名字“黑洞”的约翰·惠勒，他们并不是癫痫病患者。一个学术性的遐想不会沉溺于星体对天才性格的影响上。相反，我们也不会轻易从集体的想象中剔除模糊的直觉，因为一种过于强大的智慧会将这种直觉不可避免地引向一些可怕的发现。关于黑的传奇引人入胜，它拥有一种难以抵抗的诱惑力：既然蠢货是幸福的，那么智者和学者不是应该生而忧郁吗？他们的思想是如此深沉，以至于让他们心情抑郁。

因此，我们终于自发地产生怀疑，一切最辉煌的最受人尊敬的生命里都隐藏着一种深不可测的忧伤。然而，一个黑洞被间接检测出来，如同一种阴郁的疯狂躲藏在冷酷的智慧之外。为了证明黑洞的存在，我们必须观察其他星体的旋转，因为如果没有黑洞存在，其他星体就是围绕这样一个虚空旋转，就好像我们看到一些人没有缘由地小心翼翼地做着重复的手势。当遥远的辐射在通过一片明显空白的空间区域后，并传送一幅失真的图像时，当一个乍一看似乎严谨的推理将现实歪曲到无法辨认的地步时，我们可以猜测到一个巨大的凹陷的存在，它改变了我们对空间和时间的感知。如果说银白色的星系是围绕着同样的旋涡旋转，难道不可怕吗？当想到一些恒星在发出过量的光芒后，最后走向崩溃，那些原本由它们发散给宇宙的光线被囚禁了起来，难道不让人感到失望吗？这种失望会让我们忘记在我们之外还有一个世界存在。

如果说黑洞是一个让伟大的精神永远沉没并且无法重新显现的深渊，那么它是一个阴森的象征。然而，将黑洞理解为关于宇宙坍缩的比喻，还是某种意义上的缩小。因为我们要再提一次，一个巨大而美丽的图像，一个真实的、被赋予真正心理活力的图像，总是具有双重性的。

黑洞的光辉

因此，法国古文字学家米歇尔·帕斯图罗（1947— ）在他关于黑色的历史中（《黑色的历史》，2008 年）提到，起初，在印欧语系的语言中，有两个不同的形容词来指示黑色。拉丁语中有两个词：一个是“ater”，指的是没有光泽的黑色，这个颜色肮脏而丑陋，后来在法语中变成形容词“atroce”（恶劣的）以及后缀“-âtre”（用来构成一些贬义的、令人忧郁的颜色，比如“bleuâtre”——近蓝色的，“verdâtre”——近绿色的，等等）；另一个是“niger”，指的是美丽的发光的黑色，所有关于黑人特点的词语都由此而来（这表明这种肤色在变成种族主义的偏见之前，是一种令人艳羡的美丽色彩）。孕育出盎格鲁－撒克逊语言的语系中也包含两个形容词：一个是“swarz”，用来描写没有光泽的、坏的黑色，后来演变成德语中的“schwarz”；另一个是“blaek”，用来描写发光的、好的黑色，后来演变为英语里的“black”。这样的区别是由光泽度来区分的，这让我们回想起，在先人的眼中，如果要从视觉上区分物体，发光度是一个比着色度更密切相关的标准。这也说明，黑色的符号体系始终是两极化的，具有双重性。

就关于黑洞的想象而言，这意味着它并不是要体现对光的哀悼这个唯一的负面价值。黑洞仿佛是一个死亡的星体，因为我们设想它暗淡而无生气；而当我们把它想象成一个明亮而活跃的星体，它就变得令人兴奋，甚至有时很积极。我们假想一个正在自转的黑洞图像，随着它的吸积作用，它的光盘会变亮，而它周围的恒星由于惯性抵挡着它巨大的吸引力，甚至整个星系都在它周围旋转。是黑洞确保了银河系的内聚力，是一个黑暗的中心保持了恒星的聚集。我们同样会想到黑洞的“头发”和“蒸发”，史蒂芬·霍金将这种辐射现象与黑体辐射做类比，以缓和处于暗淡中的黑暗并找寻到能量（通过成对的虚拟粒子-反粒子形式的真空波动）。但是，除了这些严肃的天体物理学概念之外，让我们冒险进入丰富的科幻小说之中（罗兰就是一个狂热的科幻小说爱好者），去发现这些星体的黑暗所带来的非常积极的价值。

有一种科幻类型被称作“硬科学”，查尔斯·谢菲尔德是一个“硬科学”科幻的伟大作家，他在作品《麦克安德鲁的编年史》中假想，如果人类从迷你黑洞的旋转中获得一种几乎取之不尽的能源，会发生什么事情。他认为这是将自己推向太空的合适的能源。闪亮的旋转的黑洞成为人类将自己从本星球、太阳系以及银河系中解放出来的方式。

再想象一下，黑洞可以成为我们逃离世界，像夏尔·波德莱尔梦想的一样去到“世界以外的任何地方”的方法。发光的黑洞形象颠覆了关于囚禁光线的想象：黑洞的吸引力，撕裂了时间和空间的跨度，成为想象中能够逃跑的机会。在1979 年上映的电影《黑洞》里，一艘宇宙飞船被吸入黑洞中。这艘飞船没有像预料的那样脱离并消减到等离子体状态，而是通过空间和时间被投射出来，黑洞成了一扇闪光的宇宙大门。这种思想在电影《接触》（1997）和更近一些的《星际穿越》（2014）中都有呈现。我们可以从中看出电影编剧对于科学信息的匮乏，甚至有关于“洞”这个词的文字游戏，将“洞”当作了秘密通道，但实际上是灵感来自“硬科学”的科幻，或者它至少足够靠近一些物理学理论家的思辨。

1935年，爱因斯坦和纳森·罗森（1909—1995）发现，通过广义相对论方程得出的一些解法可以让时空的一个区域与另一个区域相连。我们将这些宇宙奇点命名为“爱因斯坦－罗森桥”。20世纪60年代，惠勒通过把这些奇点与蚯蚓在地上挖的洞做类比，将其命名为“虫洞”。它们是时间和空间之间的捷径，一边连接着吸收物质和光线的黑洞，一边连接着“白洞”，也就是物质和光线发射出来的地方。惠勒也确定了它们的不稳定性。1988年，美国物理学家基普·索恩（1940— ）和迈克尔·莫里斯指出，从理论上讲，如果被吸收的一部分物质质量为负，则可以稳定虫洞。那么虫洞是可以被穿越的吗？在我们的认知中，宇宙中并不存在负质量的物质（我们也从来没有发现过白洞）。然而，对于人的想象力（包括天体物理学家的想象力）来说，通过对称图像来平衡一个具有强烈感的图像总能给心灵带来乐趣：白洞之于黑洞，就如同密道之于监牢一样。

这就是为什么说黑洞不仅仅是一个有吸引力且我们无法逃脱的重要星体。当它鼓励想象力超越界限，逃离原本的世界时，它也包含着丰富的形式。坍缩只是太过迟缓的图像造成的倾斜线。一个有创造力的想象力，甚至是像伟大的理论物理学家或最好的“硬科幻”作者的天才想象力，反而会从中发现一种刺激物，将自己从空间和时间中解放出来。

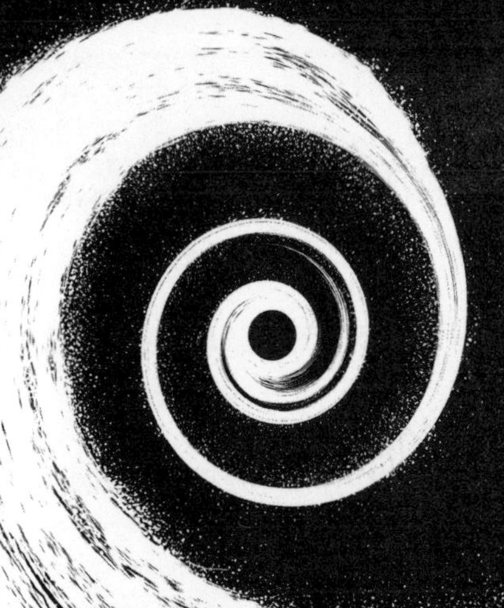

Part 4

A 暗物质

当秘密非常巧妙的时候，它们就隐藏在光明中。
——让·季奥诺[1]，《恩尼蒙德和其他人》
（*Ennemonde et autres caractères*）

事实上，我们发现一颗星体不是通过直接观察它的光，而是通过计算。1844 年，德国天文学家弗里德里希·贝塞尔（1784—1846）指出，天狼星自身运动的异常是因为有一颗我们看不到的伴侣星体的存在；18 年后，天文望远镜有了很大的改进，我们发现天狼星旁有一颗白矮星。1846 年，天文学家奥本·勒维耶（1811—1877）

1 让·季奥诺（Jean Giono，1895—1970），法国作家，代表作《屋顶上的轻骑兵》《种树的男人》。

和约翰·亚当斯（1819—1892）指出天王星的运动异常——似乎违背了牛顿的万有引力定律——是因为一颗不知名的行星导致的；天文学家约翰·伽勒（1812—1910）根据勒维耶的计算结果，在只比计算出的位置低1°的地方发现了一颗行星——后来被命名为海王星。1932年，荷兰天文学家扬·奥尔特（1900—1992）试图通过研究太阳附近恒星的速度分布来确定太阳附近的银河引力场，他得出的结论是，要解释恒星的运动，普通物质仅仅占了所需物质数量的一半。同时，美籍瑞士天文学家弗里茨·兹威基（1898—1974）研究了星系在北天星座后发座（象征物为埃及王后伯伦尼斯二世的头发）星系团中速度的分布。他于1933年指出，用来解释测得的速度所需的质量是星系团质量的十倍。“缺失质量”的难解之谜就此产生，这个难题在近50年的时间内一直没有解开。由于大量的数据表明，宇宙质量的绝大部分是很小或者不明亮的，因此无法被直接观察到，这一问题又重新回到科学家的研究当中。此外，这种暗物质似乎出现在很多不同大小的范围内：它分布在整个星系的范围内，也同样在星系团的范围内，乃至在整个可观测宇宙的范围内。

暗物质的发现

一个跟我们身处的银河系类似的螺旋形星系包含了近 2000 亿颗恒星，它们聚集在一个直径约为 10 万光年、厚度约为 1000 光年、中部凸起的圆盘上（光年是指光以每秒 30 万千米的速度运动一年经过的距离，约为 9.46 兆千米）。恒星之间有高温密集的气体，这些气体构成了促使新恒星产生的星际介质。这个由恒星和气体构成的圆盘的动力来源于星系旋转产生的离心力与这个物质圆盘自身引力之间的制衡。大多数恒星的轨道可以被大致分解为在圆盘平面上的旋转运动和垂直于该平面的振荡运动。这个振荡对物质的局部密度非常敏感，物质的引力吸引的作用是一种回动力，与弹簧的回动力相似。扬·奥尔特的方法建立在关于垂直于圆盘平面的振荡分析之上，他由此推导出了圆盘的引力场，从而推断出其质量分布，然后只需将这个质量分布与针对恒星的普查结果得出的质量分布进行比较。为了解释局部的运动，扬·奥尔特认为所需的物质密度必须是他所观察到的物质密度的两倍。如今，得益于依巴谷卫星的天体测量观测，关于银河系盘面的暗物质问题似乎已经得到了解决。依巴谷卫星提供了一个由约 12 万颗恒星组成的更为公平的、准确的、完整的实验采样，这是扬·奥尔特所没有的。最后，圆盘的动态密度与观测到的恒星密度相符，似乎圆盘中并不需要有暗物质的存在。2013 年 12 月发射的盖亚天体测量卫星正在进行同样的研究，但它的研究样本中包含的恒星数量是依巴谷卫星的 8000 倍。另外，对恒星动力学的理解始终建立在整个星系的范围上，这个范围比其唯一的恒星圆盘要宽广得多。

星系中的暗物质

美国天文学家薇拉·鲁宾（1928—2016）是第一个通过光谱学来研究螺旋星系旋转的科学家。通过观测圆盘上恒星光线的多普勒频移，可以根据距离星系中心的长度测算出圆盘的转速。这个方法只能达到星系光线的边缘，而这个边缘距离星系中心还有好几万光年。但是通过无线电波对中性氢原子组成的星际云进行观察，可以将距离推进两倍。根据距离星系中心的长度测算出旋转速度，我们就有可能推算出整个圆盘的引力场及其质量分布。然后，我们可以将这个结果与对恒星亮度的限定值进行比较，随着与星系中心的距离变远，这个亮度依照指数曲线减小，大部分质量应该位于靠近中心的区域。如果这个假设是正确的，那么旋转速度在远离星系中心时会先增长，然后在距离更远时，速度迅速下降。但是观察到的结果却非常不同：圆盘的旋转速度在远离中心时首先会增长，之后速度并没有降低，而是基本保持恒定。这表明，大量的物质是位于低光或不相关的区域内，以及圆盘之外。对数以千计星系的系统研究表明，这种异常是普遍的：要解释几乎所有螺旋星系的动力，都需要过量的

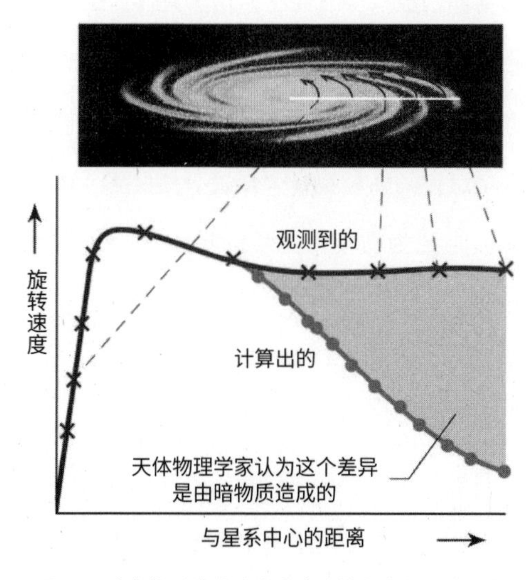

图 8. 通过直接测量得到的星系旋转曲线与通过从发光物质（恒星和气体）分布推导出的旋转曲线是不同的。这一发现是暗物质假说的起源。

“暗”物质，即事实上隐形的物质。解释这种异常的一个方法是，设想有一个形如球面的巨大光环，其宽度为恒星圆盘的十到二十倍。然而，为了探测到更远处的引力势能，我们必须对更远处的物体进行观测，如球状星团或卫星星系，以及银河系中的两个麦哲伦星云。银河系光环的宽度大约延伸到了几十万光年，这个光环占据了我们与距离银河系最近的仙女座星系之间空间的很大一部分，并且仙女座星系本身也有自己的光环。如果是这样的话，在一个聚集了几百甚至几千个星系、半径为几千万光年的星团里，会发生什么呢？

星系团中的暗物质

弗里茨·兹威基在观测到后发座星团中的动力异常后，首先提出了关于星系团中有暗物质存在的猜想。如果我们把一个数量大于发光物质的隐形暗物质考虑进去，这个异常就会消失。兹威基最初的结论是基于维里定理——一个经典力学的结论。维里定理指出，在一个处于动力平衡的自引力体系中，势能的绝对值是动能的两倍。根据两个测出的量，即由光谱测定出构成星团的星系的平均速度和星团的大小，我们可以应用维里定理估计出星团的质量。现在已经证实，即便考虑到由旋转曲线研究推导出的暗物质，用于结合大星团所需的质量也远大于各星系的质量总和。

然而，维里定理的方法并不是完全确定的。首先，我们必须确保对星团中的星系进行正确的计数，避免将星系团以外的星系计算进来，也不能遗漏光度很低的星系。其次，星团并不总是处于动力平衡状态——而这是维里定理的应用条件，这个平衡时间有可能超过宇宙的年龄。最后，我们看到的星团与事实是有出入的，因为所有的距离和速度都是根据其在我们视线上的投影测量出来的。但是，通过X射线对星团的观察证实了这些得到的结果，这要归功于一些专用卫星的利用，如 ROSAT 卫星（ROSAT 是德国伦琴卫星的首字母缩写）、XMM-牛顿卫星（XMM 是 X 射线多镜面的缩写）以及 Chandra 卫星（这个名字是为了纪念诺贝尔物理学奖获得者苏布拉马尼安·钱德拉塞卡，1910—1995）。在这个发光的范围内，星团的强烈放射来自一个温度高达 100 万摄氏度以上的超热气体，在这个气体中聚集了星团中的星系。对星系间气体 X 射线发射的分析使我们可以同时确定星团和气体的总质量。所有这些信息表明，恒星只占星团动力所需总质量的 2%～4%，热气则仅占 12%～16%。这意味着，如果要解释星团动力，这里还缺少 80%～86%的质量。近期的一个方法证实了这些结果，这个方法旨在分析位于星团外的星系发出的光的引力畸变。

宇宙幻象

自 1986 年以来，众多的星系团图像展现了变形的星系。最壮观的图像展示出一些巨大的发光弧，这些结构被认为是位于星团后面的星系的变形图像。爱因斯坦的广义相对论预测这是一个“引力透镜”效应。如我们之前所见，广义相对论将时空描述为一个由于物质存在导致变形的弹性网络。光是沿着弯曲时空的较短路线(短程线)运动的，因此光的运动轨迹会由于物质的出现产生偏差。与玻璃透镜导致的光线偏移类似，质量起到了“引力透镜”的作用。

我们根据引力透镜对观察到的发光弧做出了解释，对变形图像的光谱分析可以证实这一解释。实际上，由于宇宙膨胀，一个遥远物体发出的光会发生红移。形变源的红移总是高于干扰星团的红移，并将形变源置于星团之后。比发光弧更常见的是**小弧**，**小弧**是星系背景的小图像，由于星团场的影响发生轻微的扭曲。这些畸变的分布、方向和强度使我们非常准确地、可能略带些模糊地重新构成导致畸变出现的星团质量分布。

所有这些研究的结果都是质量的增大，它以一种完全独立的方式证实了速度分布研究和X射线发射的研究结果。

宇宙中的暗物质

引力透镜的研究方法可以应用到整个天空。遥远星系和地球之间存在的物质会导致遥远星系的光线发生偏离，我们所接收到的图像会发生轻微变形，这些图像可以让我们重新构成宇宙范围内的质量分布。1996年，法国天文物理学家雅尼克·梅里耶（1958— ）和他的团队着手测定整个宇宙中的暗物质数量，并画出暗物质在星系团之间的分布图。2012年年初，爱丁堡大学的苏格兰天文学家凯瑟琳·海曼斯和不列颠哥伦比亚大学的法国天文学家卢德维奇·范瓦尔贝克领导的团队推进了这一进程。他们选取了前所未有的宇宙范围，并成功地绘制出其中的暗物质。为了勾勒出暗物质的轮廓，他们研究了位于天空四

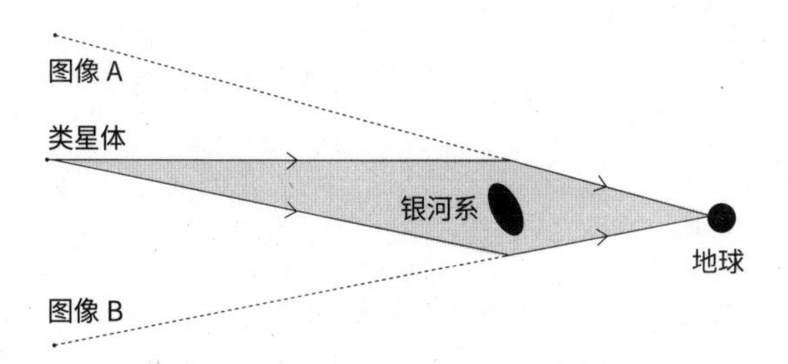

图 9. 引力透镜效应。一个星系的质量会使遥远的类星体的光线发生偏转。位于地球上的观察者看到的光线图像是多重且扭曲的。

个不同区域的 1000 万个遥远星系发出的光的畸变。欧洲航天局正在进行的欧几里得天文任务，旨在测定宇宙中暗物质的分布情况，以及自宇宙大爆炸以来这一分布的演变方式。

整个宇宙中充满了宇宙微波背景辐射，关于这一辐射的研究使得我们可以确定宇宙的总成分。我们还记得，在 2725 开尔文的均匀温度下，这道古老的辐射是以黑体辐射的形式被观察到的。但温度微小的不均匀性就会体现出原始物质（未来星系的起源）中密度的不均匀性。在宇宙学标准模型的框架下，对这些不均匀性的统计研究使我们可以估算出宇宙中物质和能量的密度。结果令人惊讶：宇宙中物质的密度比普通物质的密度高出 5 倍（26.8% vs 4.9%），而且，总密度受制于迄今未被探测出的能量元素（68.3% vs 31.7%，参见关于暗能量的下一章）。

原始核聚变

另一种观点认为，有一种未知的物质存在。如果我们回到过去，回到宇宙微波背景发射之前，宇宙经历了一个温度高达 100 亿摄氏度的阶段。由于温度过高，核的强烈相互作用无法确保核心的稳定。因此宇宙流体由核子(质子和中子)的混合物组成，其中有大量的电子、光子和中微子。中微子的作用非常重要：核子不断吸收和放射中微子，它们将质子转换为中子，将中子转换为质子，以达到二者之间的平衡。

由于宇宙的膨胀，温度下降，中微子不再与核子产生相互作用，从而打破了之前的平衡。中子是一个不稳定的粒子，在不到十五分钟的时间内，它就会分裂成一个质子、一个电子和一个中微子。保存中子的唯一方法是将其与质子结合以形成氘原子核。这是核聚变产生氦 -4 原子核、氦 -3 原子核和锂 -7 原子核的第一步。三分钟后，宇宙膨胀导致的冷却终结了这个最初的核作用。原子核中中子的比例是多少呢？这个答案取决于宇宙中包含的物质数量。如果其中核子的数量非常少，质子和中子之间的相撞就很少，产生的氘也会很少，大部分中子会被分解。如果是这样的话，与氢相比，氦 -4 产生的比例很小。相反，如果宇宙中有大量的核子、质子与中子频繁相撞，核反应有多剧烈，氦 -4 产生的比例就有多大。而且，物质的总量会影响到膨胀的速度，从而影响到原始核聚变持续的时间：短暂的核聚变持续时间将会对应少量的合成元素。因此，测定出目前氦 -4 比例的原始基值，我们可以估计出宇宙中由质子和中子（也叫重子物质）形成的物质的数量。我们所发现的值为4.9%，这就证实了，可观测的宇宙中大部分物质不是以发光的形式出现的，气体和恒星只占普通物质的0.5%。

一个新的定律？

然而，暗物质之外的其他假设可以用来解释观测到的动力异常。我们现在要做的不是假设一个新的实体——如暗物质——的存在，保证物理定律不变（“本体论”的方法），而是可以通过修正这些定律来减少理论与发现之间的差距（“立法”的方法）。因此我们认为，修改理论框架是一个可取的方法，也就是说，可以引入一个引力以外的力量，或者对引力法则提出疑问。1983年以色列物理学家莫德采·米尔格若姆（1946— ）提出的“修正牛顿动力学”理论(也称MOND理论，Modified Newtonien Dynamics的缩写词)，就是对万有引力定律提出了疑问。他假设在出现微弱的加速度的情况下，万有引力会遵从修正后的定律。这个提法很好地解释了星系内的旋转速度，但 MOND 理论仅在这个范围内成立。MOND 理论被用于描述星系团，尤其是 Boulet 星团（船底座）的结构，也需要提出一种非重子的物质形式。很多精准的测试限定了新的万有引力定律的使用范围，这些测试也是广义相对论在太阳系中所用过的。另外，关于万有引力的实验是在大范围内进行的，科学家们巧妙地将相关数据与引力透镜、星系团以及星系速度结合起来。他们得出的结果几乎完全排除了一些替代理论。只有引出暗物质的模式是有成果的：这个模式给出了最简单的解释，但同时引出了一个神秘的物理学实体。

暗物质的属性可能是什么？

如果说只有通过暗物质的引力作用我们才能发现它，那么它是由什么构成的？答案很简单：或者是一种已知物质的不发光形式（“重子”物质），或者是物质的未知形式（“非重子”物质），这种未知形式最终会比我们已知的形式更为普遍。那么，它以何种形式存在呢？答案很多。

气体和尘埃通常可以通过它们的发射线或吸收线检测到，因此从这个意义上讲，它们并不是真正的暗的。它们在银河系星盘中存在的数量相对较大，在银河系中，气体质量大约只有 10% 到 15% 的恒星质量。但是气体和尘埃的质量仍然不足以解释星系的旋转曲线，光环不可能完全由辐射气体构成：它的平衡温度接近 100 万摄氏度，这个温度会导致 X 射线的辐射比我们所观察到的要强得多。一方面，我们对原子氢进行了深入研究，它的数量显然并不够充足；另一方面，分子氢的含量几乎不受限制，但分子氢是不能被直接检测到的。

中子星和黑洞也有可能是暗物质。在宇宙形成之初，第一批超大质量的恒星可能会在自己最终崩塌时创造出大量的中子星和黑洞。为了使

90%的重子最终到达中子星或黑洞中，质量较小的恒星（太阳质量的1/2到1/4）的数量必须非常小。问题在于：银河系星盘上70%的恒星都是这样质量的恒星，它们的质量不到太阳的一半。而超大质量恒星在成为中子星或黑洞前，就发生了爆炸，成了超新星，它们的大部分质量在星际间飘散，于是星际间充满了爆炸中产生的重核，如铁。宇宙中重核的数量比我们已知的数量大得多。最后，黑洞接受的星际气体，由于在坠落期间其温度剧烈增高，也必须以能够被探测到的红外线形式进行放射。我们没有探测到任何这种形式的红外过量现象。

还有其他种类的不明亮物体，如褐矮星。这些恒星质量较小，不到太阳质量的8%，过低的质量使它们无法产生热核聚变反应，白矮星也由于体积过小而无法发出明亮的光。它们是类太阳恒星进化的产物。而中子星是超大质量恒星死亡后留下的星体，它们是完全不发光的。

中子星、黑洞、白矮星和褐矮星统称为晕族大质量致密天体，也就是 MACHO（Massive Compact Halo Objects）。这些天体的数量足以解释星系中的巨大光环吗？EROS 计划（Expérience pour la Recherche d’Objets Sombres，寻找暗天体实验）旨在回答这个问题，每天晚上都有一台望远镜在测定麦哲伦星云(银河系的两个小卫星星系)中数百万颗恒星的亮度。由于银河系光环中的一颗暗星体从已知恒星的运动轨迹上经过时，会导致光线在短时间内扩大，我们需要探测出这个短时间内的增长量。另外，还有一个引力透镜效应。我们经过十年的追踪研究确定，银河系的黑暗光环并不是主要由暗星体组成的，重子暗物质的属性问题始终是一个谜。

此后，天文物理学家大多承认非重子暗物质的存在。他们将希望寄托在中微子这个与物质相互作用非常微弱的粒子上。中微子的质量虽然不为零，但也不足以解释非重子暗物质。我们至多可以认为，中微子对宇宙物质平衡做出的贡献与恒星相当。除了中微子外，粒子物理学还无法确定地知道有哪种粒子可以与非重子暗物质相对应。然而，新的理论发展拓宽了粒子物理标准模式的领域，预测了新粒子的存在，而这些新粒子很有可能是暗物质的组成部分，它们的通用名称是 WIMP（Weakly Interactive Massive Particles，大质量弱相互作用粒子），它们是一类大质量的、稳定的粒子，与物质的相互作用很弱。新粒子中最轻的是“超中性子”，它可能就属于 WIMP 粒子。物理学家们希望能够在大型加速器中检测到它们，如位于日内瓦的 CERN 大型强子对撞机。他们还试图通过安装在数百米岩石或南极冰层下的探测器来发现它们的存在，这可以对 WIMP 粒子起到保护作用，避免它们受到其他类型的粒子的影响，以便探测出暗物质粒子与机器中原子的罕见相互作用。这些实验是很困难的，因为它们要面对很多的干扰源。一些实验团队宣称观察到了暗物质的信号，但其他实验团队则宣布这些发现无效。目前，这个问题依然没有答案。未来几年，情况或许会变得明朗，因为实验人员在不断地提升探测仪器的灵敏度。如果在研究人员的努力下，这项研究依然没有成果，那么暗物质的理论肯定很难成立。无论如何，在探究暗物质的起源方面，天文物理学家已经用一种外来的物质填满了整个宇宙，关于这种外来物质的探索很可能是 21 世纪最伟大的科学冒险之一。

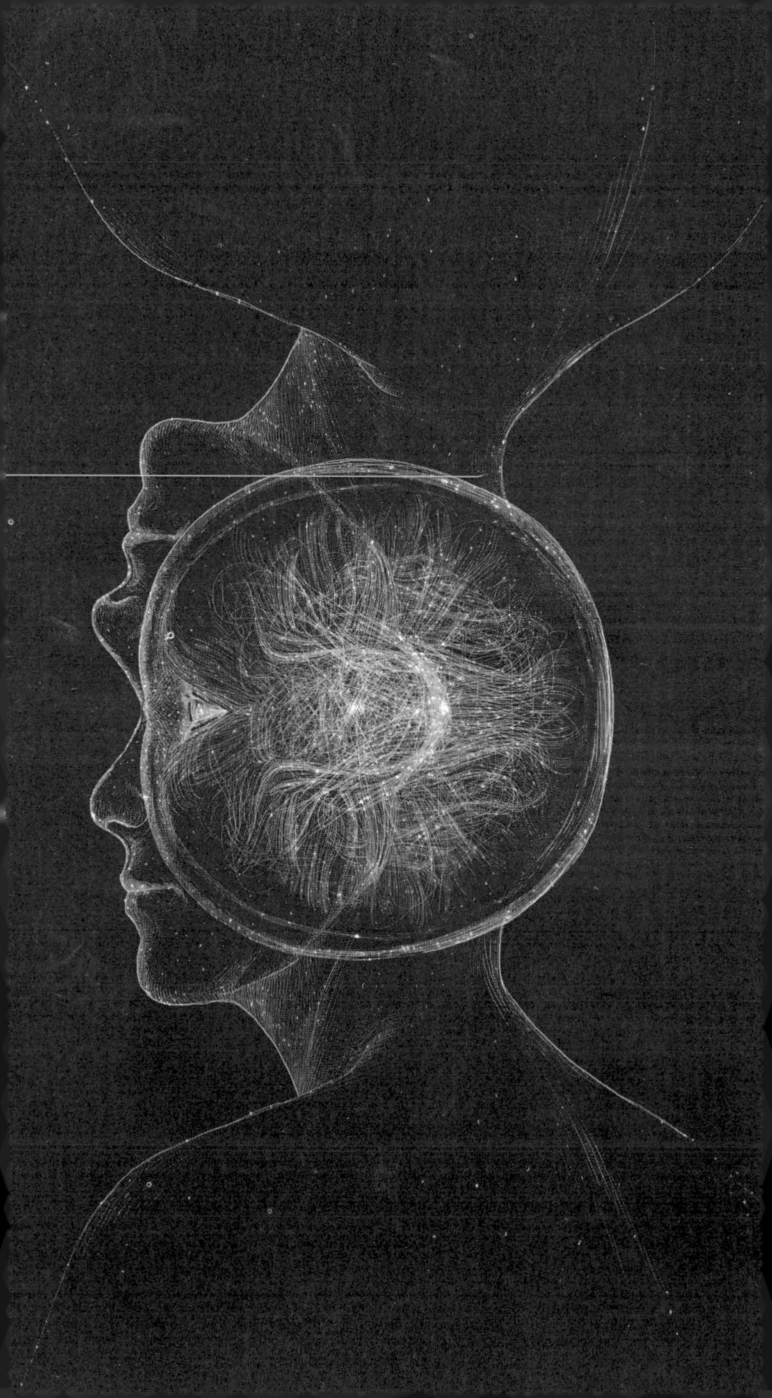

B　暗物质的炼金术

现代诗人重新发现了炼金术士关于黑色的古老遐想，炼金术士们在寻找一种比黑色更黑暗的黑（Nigrum nigrius nigro）。

——加斯东·巴什拉,《土地与对静息的遐想》

20 世纪 30 年代，瑞士裔美国天文学家弗里茨·兹威基在后发座的一个星团中发现一些星系的相对速度异常地高。他得出结论，如果这些速度能由引力效应来解释的话，就意味着存在一个质量，它远远大于已经被观测到的物质质量。他的同事们没有被这个结论说服，而是产生了怀疑，甚至剥夺了他检验假设所需的观察时间。兹威基是一个脾气暴躁的人，他因为失去了观察时间而感到痛苦，于是他对同事们使用一些恶意的讽刺。渐渐地，他感到自己被完全孤立，有些人开始到处传播一些关于黑的传说，认为是他性格中“孤狼”的那一面使他被排斥。无论如何，由于大家不愿意听从他的假设，天文学和物理学的发展停滞了40年。而关于暗物质的起源问题，好像就存在着某种我们不愿意看到的东西。

如今，这个借口似乎已被推翻：形容词“暗”和“物质”配合使用，总是意味着发现这种神秘物质的困难甚至是不可能的，但是这种晦涩往往也会对科学研究起到激励作用。几乎所有的天文物理学家都相信暗物质的存在，即便他们并没有亲眼看到过。因此，黑色成了这个假设实体的一部分。因为这种物质是“暗的”，是未知的，所以这个外来的物质激发了科学家们的想象力。它的黑暗意味着通过常规手段无法探测到它的存在，但是这种束手无策不再被解释为暗物质可能不存在的指征。与此相反，它的黑暗反而让这些看似疯狂的理论思辨显得合理！暗物质是所有天文物理学家和粒子物理学家共同寻找的隐藏物质。

一种比黑色更黑暗的黑

为了研究暗物质的假想共振，我们将使用一种神秘艺术的形象以及一种隐藏真相表达的话语资源：秘术语料库。天体物理学与炼金术之间的这种亲密关系，并不意味着古老的炼金术士的研究与当代科学家的研究有丝毫联系。我们是基于想象中的事物提出的这个方法，因为关于秘术的文字勾勒出无数与物质、神秘和黑暗相关的形象，这些文字通常用来描写被炼金术士称作“暗物质”的东西，而它们的另一个名字则更加被人熟知：“苦炼”（或称深渊）。因此，我们将研究的是，暗物质的炼金术形象在接触到关于暗物质的天体物理学假说时，是如何被唤醒并转化的，以及作为回报，它是如何对暗物质进行“上色”的。

和天文物理学家们研究的暗物质一样，炼金术士的暗物质首先是与星体的光相对的：它就像是一个阳光永远无法照到的阴影。德国炼金术士米夏埃尔·迈尔（1569—1622）用一种非常神秘的方式，将这个神秘的阴影与天文艺术联系起来："在天文学中，阴影的作用非常重要，如果没有阴影，关于这门科学的研究将很难完成。"（《逃跑的阿塔兰塔》，1618 年，189 页）他的论说从物体投射的影子讲起："太阳不能穿透密实的物体，因此所有的影子都与事物是相对应的；阴影自然比事物要低等，但是天文学家依然会频繁地使用阴影来做研究，因为它为他们的研究提供了许多便利。"（《逃跑的阿塔兰塔》，1618 年，189 页）在这些充满奥秘的文本中，我们很难跟上作者的思维，但是似乎在迈尔看来，天文学家对阴影的使用是证明暗物质——这个隐藏在物体内部的阴影存在的有力论据。

巴什拉很喜欢阅读有关炼金术的文章。在讲

黑体时，我们已经看到他同样关注隐藏在物质内的黑暗幻象。他特别赞赏这个有悖常理的空想：本质的黑可以隐藏在外部的黑之下。在想象中寻找隐藏的黑，需要我们到达黑的最佳藏身之处的中心，才能发现“在黯淡的黑暗中产生的猛烈的黑，创造着深渊色彩的物质的黑”（《土地与对静息的遐想》，35 页）。

兹威基认为，我们对一些星系预计的速度和我们所观测到的速度之间存在差距，这个差距本应促使他的同事们考虑这个引出质量缺失假说的异常。如果我们始终处于广义相对论的理论框架下，要解释观测到的速度，实际上需要承认我们已知的物质只是宇宙质量的一小部分。当然，兹威基没有完全受限于这个本体论的假设（通过创造新的物质），如罗兰之前解释过的，他可以修正万有引力定律。这种“立法式”的解决方法尤其受到 MOND 理论拥护者的支持。如果我们对牛顿第二运动定律进行修正（牛顿第二运动定律确定了力的作用与惯性和加速度相关），说暗物质不存在，这并不是真实现象，而只是由标准理论的不足之处导致的阴影，但是，我们已经在炼金术士关于暗物质的思辨中发现了这种本体论的犹疑。迈尔认为，暗物质是存在的，但它不是普通物质，它只是一个阴影，因此与宇宙中可以被观测到的物质相比，它是一种类似于非物质的存在："阴影是非常有用的东西，即使它更类似于非物质。哲学家们眼中的阴影就是这样的，是一种比黑色更黑暗的黑。"（《土地与对静息的遐想》，35 页）于是暗物质的黑有了一个想象中的特殊性：它是"Nigrum nigrius nigro"，一种比黑色更黑暗的黑。

天体物理学家的暗物质中包含"noire"（黑色的），因为电磁波无法探测到它。我们知道物理学中的黑知识，总的来说，代表着我们无法观察到的东西。然而，与之前物理学赋予黑色的定义相比，我们应该强调：我们无法看到黑洞，但是当它与光相遇，二者就会发生相互作用，黑洞会吸收光线。相反，暗物质绝对不会与相遇的光线发生相互作用，它既不会吸收光，也不会放射光。它只有通过万有引力的形式才会与光和普通物质发生相互作用。因此，暗物质中黑的含义超越了物理学中黑的普通定义，它是一种“比黑色更黑暗的黑”。我们甚至会质疑，“黑色的”这个形容词是否还能恰当地表达一种隐形的、不可触摸的、透明的物质。黑色表达的是一个决绝的隐藏，可奇怪的是，它并不会让我们产生怀疑，反而让我们更坚信它的存在。在我们的想象中，黑色的东西是坚定可靠的。

通过特例假设（甚至在严格的实证主义者看来，是一种形而上学），暗物质源自一种物质化。缺失的质量首先是科学模式中的一个问题、一种异常。如果我们按照英语“dark matter”的说法将暗物质直译为“matière sombre”（昏暗的物质），那只是一个未定的解决方法，但是暗物质不只是一个简单的假设：它在一些科学的论说中获得了不容置疑的真实身份。当我们将暗物质“绘制”出来时，一些人会把它们呈现为对现实的间接观察，而事实上，当我们为了解释观察到的事物而提出假设，这种“绘制”只是严格地通过数字模拟的方式将暗物质呈现出来。因为它被称为“物质”以及“黑的”，于是缺失的质量在想象中也是一种确定的存在。

科学家们假定一些没有被观察到的物质是存在的，这并没有什么值得不满。面对与理论预言之间巨大的差异，科学家们只能在两个非常冒险的解决方法中做出选择：修改理论，或者在现有的理论框架下创造一种新事物。目前我们还无法知道这两种策略哪个更好。然而，不容置疑的是，“黑色的”这个称号在这里并不是中性的：它促使我们做出估计而不是产生疑问。黑暗结合了两种相反的想象动力：它强化了我们对于暗物质存在的信念，同时它又暗示暗物质是遥不可及的。这种比黑色更黑暗的黑是不是一个神秘人诈死的特点呢？还是这只是它蜕变过程中一个暂时的状态呢？

苦炼

在炼金术中，黑化或苦炼只是一个阶段。在它之前是白色的作品，然后是红色的作品，最后会成就一个被寄予希望的伟大作品。在古埃及，俄耳甫斯教和基督教的圣像中，死亡之后伴随着复活，炼金术士们在获取关于物质的准确知识前，会将黑暗的这个步骤看作一个有害的但是必不可少的阶段："这个物质，黑色的或者被染黑的，是开启一切的钥匙……这个黑暗指示了真正的操作方式，因为这个物质在变化，它被自然中真正的腐败所腐蚀，而从这腐败中会产生一种新的物质。"（贝尔纳·勒特里维桑，《被遗弃的话语》，15 世纪初，428 页）作为通向最灿烂的华美之物的钥匙，假设暗物质要被很好地保护起来，似乎也很自然。发现暗物质秘密的兴奋之情是非常具有启发性的，将我们的想象再发散一些，似乎天体物理学家在对魔法石的寻求中，与炼金术士达成了一致，这种一致不表现在他们的调查手段上，而是他们都对自己研究的事物有一种迷恋：他们的黑暗物质都是极为重要并且是隐藏的。难道不是因为它很重要所以才隐藏起来的吗？

炼金术士认为，黑暗物质与土星有着紧密的联系，土星是一个将行星与光圈、古罗马时间之神和铅叠加在一起的象征。土星是黑暗物质之“父”，它将黑暗物质保护和隐藏起来，它将黑暗物质制造为一个拒光的，仿佛是封闭起来的神秘物质：

土星的愿望是将这个金色的孩子包围在自己的身体里，不是以灰色的形式，而是用一种黑暗的光辉……土星用自己黑色的外套将他遮盖……它用触及了死亡当中最高级别物质的自由欲望

（金体）组成它的本质；然而它并不是死亡，而是一种代表了天上神圣物质的隐藏。（雅各·波墨，《事物的标记》，1621年，29页）

通过烧烤或溶解在酸中得到的黑暗产物是毫无价值的，但是同粪便相比又弥足珍贵，因为这是创造出可以变铅为金的魔法石这个伟大工作的第一阶段。同样，暗物质在开始时也只是用来解释一个令人费解的异常的一个方法，但是它成了天文物理学的一个圣杯，能够解释清楚它的属性的人就向理解宇宙，以及获得诺贝尔奖，前进了一大步。

宇宙的阿尼玛[1]

对于承认暗物质存在的人来说，这确实是一个拂去面纱却并未完全展现的新宇宙：宇宙中的物质比我们所看到的要多得多！因此，普通物质

---

1 Anima，也称女性意象，指男人潜意识中的女性性格，只有一个。

只是真实存在物质的九牛一毛而已。这种理论视角的翻转可以与无意识生命的心理分析发现相比：我们意识到的存在只是在我们精神中出现的一小部分，我们所做的很多事情都无法由我们的思考和有意识的决定来解释。卡尔·荣格的服从精神分析坚持认为，只有当我们能够接受自己真实性格中被压抑的阴影部分，以及不安和危险的那些方面时，我们才会意识到自己的真实性格。荣格将我们心理中的这一方面称为阿尼玛，一个阴暗的隐藏的灵魂，与阿尼玛斯[1]不同，它是我们个性中被接纳、有价值且积极的那一面。

虽然阿尼玛是人类心理中被动而阴暗的那一部分，但它却是最重要的。如果我们做一个类比，那么，暗物质就是宇宙中的阿尼玛。

荣格在炼金术士的书中找到了很多这种心理

1 Animus，也称男性意象，指女人潜意识中的男性性格，可有多个。

基本二元性的表现形式，通常表现为雌雄同体。炼金术士的文字和版画中充斥着这样的原型，对于精神分析学家来说，它们是非常宝贵的材料。炼金术并没有真正被实验所限制，它用各种符号进行着游戏，在这个程度上，它可以自由地将集体无意识的原型投射在炼金术的“物质”上。然而，就暗物质的属性而言，天体物理学中也缺少实验的参照点。它发现了一块处女地，这是最具思辨性的粒子物理学所乐见的。事实上，为了弥补巨大的质量差异，天体物理学家首先寄希望于他们所称的“昏暗的物质”上，也就是很难被发现的传统物质，比如白矮星、褐矮星和黑洞。通过这些词组我们发现，这些星体赋予了暗物质一点色彩。但是这并不够，还差得远呢。于是他们呼吁粒子物理理论学家们发明各种各样的外来物质，也就是说，与已知的物质不同，却可以合理地存在于一些理论框架下。于是宏观宇宙和微观宇宙之间建立起了联系。

宏观宇宙和微观宇宙的结合

因此，会出现“冷的”暗物质（其速度低于光速），是由大质量粒子所组成的，但由于这些粒子与其他物质相互作用非常少，因此到目前为止还没有被探测到。同时，也会出现“热的”暗物质（其速度接近光速），已知的三种中微子是它的组成部分。最后，还会有“温暖的”暗物质，它的主要组成部分是第四种中微子，“无效”中微子（我们称之为无效，是因为它不会与物质产生相互作用，并且无法被探测到）。另外，一些炼金术士也会拿他们关于古代原子论中暗物质的猜测做比照：“因为你肯定会很快看到所有如煤炭般的黑色，以及你的化合物中所有成分都会变成原子，你就为此感到欢欣吧。”（乔治·斯塔基，《通过国王封闭宫殿的开放入口》，1645年，672页）这些原子是德谟克利特原子、伊壁鸠鲁原子和鲁克丽丝原子。它们只在形而上学中存在。

对于天体物理学家来说，寻求与物理学的另一个分支达成一致的唯一途径就是进步，可以先验地说，这个方法意味着新的约束。然而，关于暗物质属性假设的增多也带来了麻烦。继续做一个不太礼貌的类比，我们可以猜测粒子物理学家被迫创造出太多的外来粒子，以填补天文物理学家的缺失质量，这种方式就和炼金术士赋予黑暗物质很多名字和符号一样，他们这样做只是为了掩盖这些物质在自然界中不存在并且在他们鼓吹的炼金过程中也无法产生的事实。于是黑暗产物也被称为“黑色的树脂”“燃烧的盐”“熔化的铅”“不洁的黄铜”“氧化的镁”“让的乌鸦”“西方”“黑暗”“霉斑”“死亡”“水星的腐化”，或者是“哈迪斯冥王”。不言而喻，当树脂、盐、铅、黄铜、水星或者氧化镁的首字母都大写后成为术语，这些术语的含义就和它们原来所指的普通事物不一样了。

“乌鸦的头”也是一个经常出现的词组：似乎在“腐化”过程的一个阶段，蒸馏瓶中所含物质的一部分必然会挥发成一种黑色蒸气；因为乌鸦是“黑色的鸟”，所以这种物质被命名为“乌鸦的头”……尽管如此，这个名字也和神话有关：乌鸦也是一种与柯罗诺斯有关的鸟，柯罗诺斯是古希腊人的时间之神，与拉丁人的农神相对应，也类似于斯堪的纳维亚人的生命、死亡、战争和魔法之神奥丁，伴随他的是两只分别象征思想和记忆的乌鸦。词汇的丰富性和符号的连贯性掩盖了物质参照的空洞。每一个炼金术士都无法解释清楚他所说的是什么，诚如沉迷于炼金术研究内容的专家所说，一个炼金术士只要能够清楚地表达自己，他便不再配得上炼金术士这个头衔。从本质上讲，炼金术是一种隐藏自己假装知道的秘密的艺术。

天体物理学家和粒子物理学家在寻求宏观质量和微观世界变化之间的结合时，透明度在其中发挥了作用。他们对暗物质的探寻同样是不确定的，粒子加速器有效地取代了蒸馏器，但有时实验也会失败。因此冷的暗物质应该由“对称”粒子组成，也就是说，我们会给每一个玻色子对应一个费米子，反之亦然。这些新的粒子迄今为止从未被观察到，尽管“超对称性”已经预测出它们的存在——“超对称性”是粒子物理学家通用的标准模型的扩展。可是截至目前，欧洲核子研究中心（CERN）使用大型强子对撞机（LHC）依然没有发现它们，于是一些理论家认为这个理论可能是“死了”。

热的暗物质是由已知存在的粒子——中微子组成的，但是它们的数量和质量只能解决一小部分缺失质量的问题。至于构成温的暗物质的无效中微子，只有在转化为另一种中微子时才会与物质发生相互作用，因此我们无法直接观察到它。核电站的中微子流量有轻微的不足，只有这一点可以证明它的存在。但是由于这种温的暗物质数量很少，也不足以解释巨大的缺失质量。暗物质当然是解决缺失质量问题的一个方法，但是这个方法本身就是有问题的：它是用黑暗来解释黑暗的，即“obscurium per obscurius”。

在这个关于暗物质的遐想结束时，天体物理学家们的黑概念已经变成了一个奇怪的、让人联想到炼金术妄想的黑色形象。我们不要忘记，如果说炼金术中黑暗的作品会让我们想起天体物理学中暗物质的隐秘图像，这是因为科学概念的作用恰恰是要隐藏这些图像。如果我们拿科学的不确定性与炼金术的幻想做比照，则必然招致科学家以及神秘的“炼金术士”的反对。目前，虽然在物理学家们的努力下，我们依然无法看到暗物质，但是这并不意味着我们提出的是一个错误的假设。虽然炼金术确实与科学无关，但其对于一些符号的思考可能创造出一种智慧的形式。

然而，在认识论专家和精神分析学家看来，暗物质似乎是一种仓促而可疑的实体，他们认为，最好继续讨论“缺失的质量”问题，并且记住这是一个公开的问题。然而，MOND 作为另一个重要理论也会带来一些困难，而对物理定律进行修正是一个不容轻视的选择。

至于探寻暗物质的精神观点，我们要知道，炼金术不只是一个江湖骗子和投机取巧的黄金商人的技艺。在荣格看来，这也是一种传教式的话语，让人们可以在自我与心灵的无意识倾向中达到契合，来理解自己生命的成熟过程。如玛格丽特·尤瑟纳尔（1903—1987）在她优美的小说《苦炼》的标题中表达的那样：“我们依然在讨论，这种表达方式是否适用于对物质本身的大胆实验，还是说它代表一种将思想从常规和偏见中解放出来的精神测试。”这里有一个美好的用语——“将思想从常规和偏见中解放出来”，这应该是思想在黑暗中摸索前进时的指引线吧。

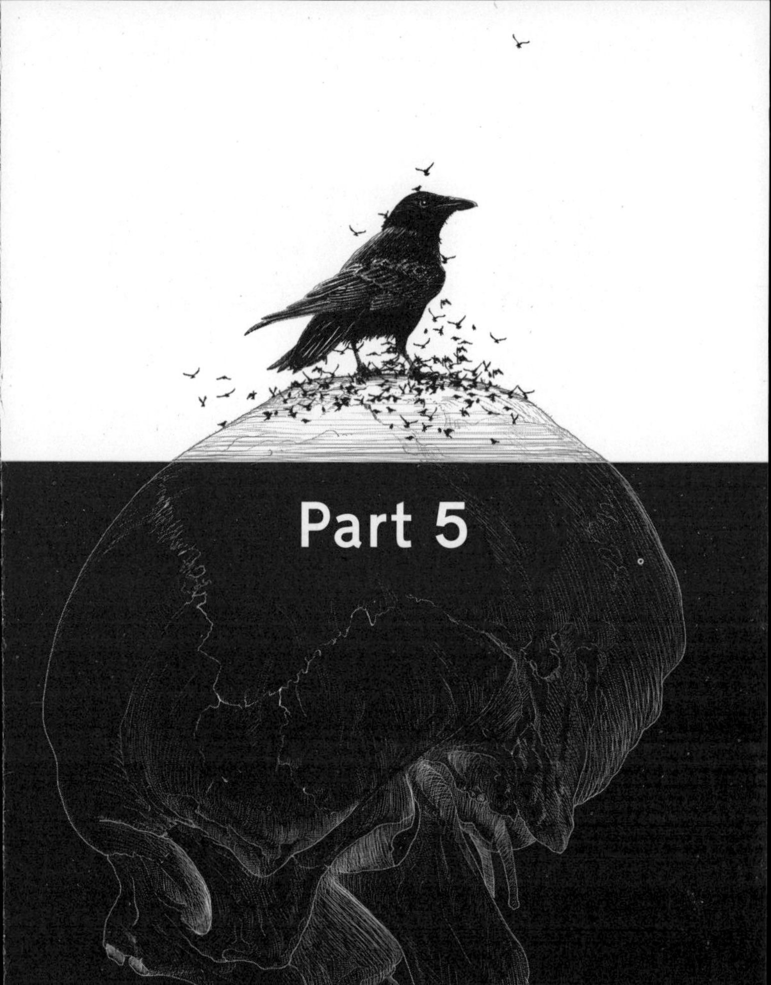
Part 5

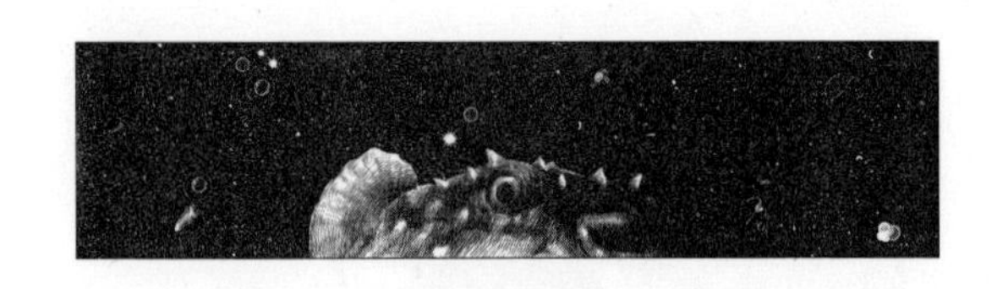

A　暗能量

它如夜晚、如真空般黑暗。
它像是一张底片。
——约瑟夫·布罗茨基[1]，《山丘》（*Collines*）

宇宙学旨在构建一个对可观测宇宙的严密的描述，这个可观测宇宙也就是所有可以通过光与我们进行相互作用的东西。它是一个以我们为圆心的球体的内部，它的半径约为450亿光年，包含数千亿个星系。为了描述这个我们观察到的整体，宇宙学构建了一个模型，一个基于目前关于

1　约瑟夫·布罗茨基（Joseph Brodsky，1940—1996），俄裔美国诗人、散文家，诺贝尔文学奖获得者。代表作有《韵文与诗》《山丘》《诗集》。

地球以及我们对宇宙观测的实验所验证出的物理规律和知识的理想化描述。当代宇宙学模式有一个更加大众化也更为人所熟知的名字是“大爆炸模式”，这个模式建立在阿尔伯特·爱因斯坦在一个世纪以前提出的广义相对论的基础上。在这个模式中，万有引力是以几何学的方式、用弯曲的时空来描述的。具体来说，虽然自由落体运动在牛顿理论中被解释为万有引力，但在爱因斯坦理论中，它被理解为弯曲时空中较短的路径。时空的几何形状确定了物质的运动轨迹，反过来，物质的内容造成了时空的变形。广义相对论方程将时空的几何形状和物质内容密切联系在一起。只有通过一个双重假设才能求解这些高度复杂的方程式：宇宙的几何和物理特性，在一个特定的时刻，在所有的点以及点周围的所有方向上都是相同的。换言之，宇宙是同一的、各向同性的。1915年，爱因斯坦引入了“哥白尼理论”，之后俄罗斯天文学家亚历山大·弗里德曼（1888—

1925）和比利时天文学家乔治·勒梅特（1894—1966）分别于1922年和1927年引入了这个理论，“哥白尼理论”将我们引向了简单的宇宙学模式：在任何时刻，空间的几何学特点，尤其是它的曲率，在所有的点和方向上都是相同的。然而，曲率会随着时间而变化，这给这些模式带来了意想不到的动态特征：空间可以膨胀。1917年，爱因斯坦正是基于他的广义相对论框架构建了第一个宇宙学模式。他深信宇宙是静止而永恒的，但他又发现通过他的方程式最终会得出一些动态的解决方案。为了得到一个与他的哲学信念相一致的解决方案，他不得不将一个常数引入他的方程中，这个常数是唯一被核准的，名为“宇宙常数”。

几年之后，在1929年，人们证实了大范围距离的宇宙动力学。

美国天文学家爱德温·哈勃（1889—1953）观察到，来自遥远星系的光的频率会发生红移。这个现象是多普勒效应造成的：当发射机与接收机之间的距离变大，声音或电磁信号的波长会发生伸展。爱德温·哈勃在可见的逃逸速度和星系距离之间建立了一种比例关系，即“哈勃定律”。在广义相对论的框架下，哈勃的发现可以被认为是宇宙膨胀的结果：空间发生了伸展，于是我们感觉星系之间的距离变大了。哈勃定律的比例系数被称为“哈勃常数”，这个常数量化了宇宙的扩张速度，其精确程度可以达到 1%：约为每秒 21.3 千米比 100 万光年。根据哥白尼原理，现在一个从另一星系观察宇宙的观察者将获得相同的结果，特别是他会测算出与哈勃常数相同的值。然而，这个宇宙学原理并不意味着过去观测到这个常数的人现在会得到相同的结果，因为哈勃常数会随着时间发生变化。

爱因斯坦只在 20 世纪 30 年代初承认了宇宙膨胀的现实，因为这是他的理论结论，但同时也否定了他的宇宙常数。于是，宇宙常数失去了原本存在的理由，并被动态宇宙模式所替代。虽然爱因斯坦抛弃了宇宙常数，它却吸引了其他天体物理学家的注意，因为它可以解决宇宙年龄的问题。当时，没有参照宇宙常数的模式计算出的宇宙年龄约为 20 亿年，而通过地球化学测量法推导出的地球年龄为 45 亿年。在勒梅特关于宇宙学解决方法的系统研究中，他注意到宇宙常数可以暂时地“冻结”宇宙扩张，从而校准宇宙的年龄，以便严密地进行时期观察。在之后的几十年里，关于宇宙常数的讨论仍在继续。宇宙学家遇到的问题是尺寸。宇宙的年龄是通过估计哈勃常数和可观测宇宙的物质内容来确定的。不幸的是，哈勃常数的测量值和物质内容的清查会根据观察结果发生变化，这使得宇宙年龄的问题也瞬息万变。自那之后，宇宙学家开始做一个系统的清查，目的是对宇宙的每一个组成部分进行编目和“称量”，最新的数据来源于大型星系目录，以及主要由欧洲的普朗克卫星发回的对宇宙微波背景的观测结果。

令人惊奇的观测结果

20世纪90年代末，有两支团队已经开始测量过去宇宙扩张的速度，这两支团队分别由来自加州伯克利大学的索尔·珀尔马特，以及来自澳大利亚堪培拉大学的布赖恩·施密特和来自伯克利大学的亚当·里斯领导。为此，他们观测到远在数十亿光年外的超新星（SNIa）的光通量。这些恒星的爆炸非常有趣，因为它们的最大亮度是可重现的。因此，对它们的可见的光通量的测量等于测算爆炸时发射的光子所经过的距离——这个距离取决于宇宙的几何形状和内容。对这些遥远的SNIa的观测显示，在仅由物质构成的宇宙中，它们可见的光通量比预期的要弱得多。这些超新星的光所经过的距离也比预期的要远——宇宙膨胀的速度似乎加快了。发起这些研究的人因此获得了2011年诺贝尔物理学奖。由于结果出人意料，研究人员开展了关于遥远的SNIa的新研究，其中包括对超新星遗留物的探测调查（SNLS）。从2003年到2008年，通过直径为3.6米的加拿大-法国-夏威夷望远镜，SNLS发现了数百个河外SNIa，而之前的观测数据则约为50个。科学家们为此做出了巨大的努力，因为SNIa很少见：对于一个类似于银河系的螺旋星系来说，几乎一个世纪才会有一次爆炸。在清查结束时，SNLS已经掌握了约500个SNIa，这些超新星采集自过去20亿至80亿年内的宇宙。这些测量表明，在仅包含物质的宇宙中，来自遥远的SNIa的光通量被证实的确低于预计通量。它们与宇宙处于加速膨胀的假设相符。

对于研究者来说，我们必须承认一种能够加速膨胀的能量成分的存在，它既不是物质也不是辐射。爱因斯坦的广义相对论方程中可能包含这样的一个成分，作为属于平等的“物质含量”方面的附加术语。这个未知的能量成分被称为“暗能量”。事实上，爱因斯坦已经在他的方程中引入了与暗能量相对应的数学术语，以便使这些方程获得静态的解法，这是伟大的物理学家赋予这些解法的特权。于是这个数学术语被指定为“宇宙常数”，它作为方程式中与“几何”相关的部分出现，并被解释为时空的一个属性。但讽刺的是，在哈勃发现宇宙扩张之后，它马上就被抛弃了，而宇宙的加速扩张则需要重新引入宇宙常数这个概念。因为只需调整宇宙常数的数值就可以解释宇宙的加速扩张。

解释的过剩

从物质的角度讲，暗能量是什么呢？它在爱因斯坦的方程式中的出现，可能意味着一个新的物理元素的介入，其属性与普通物质非常不同。例如，随着时间的推移，暗能量的密度保持恒定，而普通物质的密度则会由于宇宙膨胀引起的稀释而降低。由于暗能量的密度不变，宇宙的体积因为宇宙的膨胀而扩大，所以它必须不断地被创造出来。它还具有另一个奇怪的属性：和普通物质不同，它的压力是负的，与能量密度完全相反：它加快了膨胀的速度，而不是使膨胀缓慢发生。

由于宇宙学的观察，我们才能估计暗能量的密度。它的密度非常小：为了给 100 瓦灯泡供电 10 秒，我们需要收集 10 立方千米体积内包含的能量！然而，它却是宇宙构成的大部分内容：它的密度约占宇宙内容的 68%，而物质只占 32%（暗物质占 27%，普通物质占 5%）。这意思就是，宇宙中 95%的组成内容是当前物理理论所未知的成分。标准的宇宙学模式对可观测宇宙进行了很好的描述。然而，物理学家依然需要更多关于这些被认为可以解释观察结果的实体的描述，他们甚至认为这个模式还有存疑之处。

从这些特性的推论中，物理学家已经想象出暗能量的可能属性。第一种可能性出现在量子场论的框架内，量子场论通过结合场的概念（如电磁场）以及量子物理学的规则来描述粒子及其相互作用。于是一个粒子被描述为一个量子，也就是其与相关场的基本激发。同样，真空被定义为能量最小的场，其能量不必一定为零。真空便不再是我们消除了物质和光线、时间和空间所呈现的状态，而是场的状态的一个特殊结构，也就是包含0个粒子且能量最低的结构。根据德国物理学家维尔纳·海森堡（1901—1976）提出的不确定性关系，这个特殊状态可以像其他状态一样是波动的。这些波动会产生所谓的零点能量，可以简称为真空能量。

在这个现代的观点中，真空，也就是量子场的最低能量状态，包含两个部分：真空能量，以及一个由场之间相互作用产生的势能。这个势能与温度有密不可分的关系，因此它可能随时间的流逝而变化，而这只是因为宇宙在扩张时会发生稀释和冷却。有趣的是，真空对于所有处于统一直线运动中的观察者来说，其出现的方式是完全相同的。这个对称性源自爱因斯坦的相对论原理，它意味着自身与负压有关，并且它的能量密度是恒定的。因此，真空能量与暗能量完全相同。所以，真空能量是宇宙能量的密度的一部分，可以使宇宙迅速扩张。真空能量和暗能量只能是同一个实体。可惜的是，科学家计算出真空能量的密度值比暗能量的密度值高 120 个数量级！在物理学研究中，预测和观察结果之间从来没有过如此大的差距。

在发现宇宙加速膨胀之前，在科学家们倾向于认为宇宙常数为零的时代，真空能量的问题就已经被提出来了。因此，我们计算出的真空能量密度必须为零，而这与我们之前提到的估计是矛盾的。解决这个矛盾的一种方法是在量子场理论中引入一个“超对称性”。量子场理论规定，标准模式中的每个基本粒子，如夸克或电子，都有一个“超对称伙伴”。这些成对的粒子具有相同的质量，不同的自旋，它们对真空能量的分摊额会相互抵消。因此，不必进行人为的调整，真空的能量就为零。不幸的是，宇宙似乎不是超对称的，因为，以电子为例，它就没有相同质量的超对称伙伴。如果超对称性是相关联的，它就必定会被打破，那么超对称伙伴的质量会比预期的要高。然而，即使在这种情况下，真空能量的密度值仍然比暗能量的宇宙学测定值高 60 个数量级。

其他物理学家设想出了可以造成宇宙加速膨胀的替代物质内容，人们将这些内容统称为“第五元素”。例如，一个标量场（自旋为零的场）的存在可能导致宇宙膨胀的加速，第五元素模式和观察结果是兼容的。然而，第五元素的短时演变与暗能量稍有不同，因为它不具备相同的状态参量。因此，我们试图以更高的精确度来测算这个参量，它等于能量密度和压力之间的比率（在所选单位内，这个比率是没有维数的）。对于暗能量来说，它等于 -1，对于第五元素模式而言，它则不等于这个数值。于是相关的能量密度不再是恒定的，而是会随着宇宙的发展发生变化。这正是宇宙学家想要强调的时间变化。

之前提到的模式假定广义相对论可以正确地描述宇宙范围内的万有引力。但事实也许并非如此。物理学家经常遇到对引力的观测结果与被认为造成该结果的物理元素之间不协调的情况。对于这种情况的解决方法就是，探测出新的物体或者修改引力理论。因此，得益于天文学家奥本·勒维耶的计算，我们发现了海王星，勒维耶曾经通过假设海王星的存在来解释天王星运动轨迹的异常。这一点我们在介绍暗物质的章节中曾经提到过。勒维耶试图用同样的方法来解释水星近日点一百年一次的前进现象。但是他并没有成功。在他死后，这个轨道的异常被一种新的引力理论所解释——爱因斯坦的广义相对论。当代宇宙学面临着类似的困境：我们是否应该通过引入新的黑暗物理元素（暗物质和暗能量）来确保万有引力定律的正确？或者我们应当试图修正万有引力定律来解释这些观察结果？

有一种关于修正万有引力定律的方式是，假定我们的四维空间还拥有一个补充的维度，一个伸展向无限的第五维度，只有引力子——驱动引力相互作用的粒子——才能在这个补充的维度中传播。由于如光子这样的其他粒子无法进入这个补充维度，因此我们通常的测量无法涉及它，但它可以通过自己对引力的影响显现出来。宇宙学的影响是非常重要的。在小范围内，引力子逃逸的可能性很小，广义相对论的方程式正确地描述了万有引力。在更大范围内，一定数量的引力子逃逸到第五维度，广义相对论的方程式不再匹配。如果我们假设广义相对论是有效的，那么大范围内的物质的引力效应是被高估的，这个引力效应给人的印象是宇宙的膨胀速度在加快。这个模式得到了众多宇宙学家的响应，但它却带来了很多理论和实验上的难题。我们要强调的是，在远距离修改广义相对论，同时又要承认该理论在普通范围和太阳系范围内的精准测试，是非常困难的。

我们也设想过抛弃宇宙学原理。如果对宇宙微波辐射的观察结果倾向于证明宇宙实际上是各向同性的，那么大范围内的同质性仍然值得讨论。由超新星运动的同质性推导出来的膨胀加速，可能是由局部非同质性引起的。因此，我们不应该将宇宙学重新建立在弗里德曼－勒梅特的空间，而应该建立在托尔曼－邦迪的空间上，因为这个空间的主要特征是拥有一个在围绕中心的空间中发生变化的曲率，这个中心在宇宙中占据特殊位置。这些都是尚未被充分利用且仍然处于分散状态的猜想。

以上我们未能列举全部关于解释宇宙膨胀加速的方法，这说明对这个现象制定出一个物理理论是非常困难的。目前，尽管暗能量是最为天体物理学家所接受的假设，但我们之前所提及的方法都没有得到一致通过。关于解释宇宙加速膨胀的问题催生了许多研究，这些研究有助于我们更好地理解标准宇宙学模式。未来我们将得到的数据，尤其是来自欧洲 Euclid 卫星计划等主要观测计划的数据，应该会让我们排除掉一些无效的研究方法，帮助我们更好地理解暗能量的奥秘，以及极大范围内万有引力的特性。迄今为止，造成宇宙膨胀加速的原因仍然是一个悬而未决的问题。

B 暗能量之谜

哲学家对事物的内在属性和原因有着模糊而不确定的猜测，他就像“一个盲人在黑暗的房间里寻找一只并不在房间内的黑猫”。

——威廉·詹姆斯[1]，《一些哲学问题》

（*Quelques problèmes de philosophie*）

巴什拉认为，一个将自己的遐想扩展到宇宙空间的梦想家，自然会进入宁静从容的状态：“在关于宇宙的遐想中，有一条中轴线，沿着它，感性的宇宙转化为美丽的宇宙。”（《梦想的诗学》，1960年，157页）是这样一个和谐平衡和永恒稳定的梦

1 威廉·詹姆斯（William James，1842—1910），美国心理学之父，美国本土第一位哲学家和心理学家。代表作《心理学原理》。

想激发了爱因斯坦关于宇宙常数的灵感吗？它不是应该可以抵消万有引力的影响并防止宇宙崩溃的吗？通过给宇宙几何学增加一个术语，爱因斯坦认为他保证了一个同质和静态的状态，也就是巴什拉所说的“安宁”：“安宁是存在本身，它属于这个世界，属于它的梦想者。”（《梦想的诗学》，149 页）在宇宙中，存在两种对称的威胁：消失和无限扩张。通过宇宙常数，爱因斯坦已经确定了这两者之间脆弱的平衡点。但是这个梦想破碎了。天文学家通过观察发现，两者间的天平在向宇宙扩张的方向倾斜，然后，更令人惊讶的是，天平转向了一个我们意想不到的方向：膨胀加速。于是这个谜团的颜色，自然变成了暗能量的黑色。

爱因斯坦说，我的方程式像是“一座建筑物，它的一边由精细的大理石构成（方程的第一端边），另一边则由劣质的木材搭建（方程的第二端边）”（《物理学与现实》，1936 年，370 页）。大理石代表着几何学，以及时空的曲度，而劣质的木材则是宇宙物质内容的象征。然而在希腊语中，木头是 hylé，它也表示所有的物质。爱因斯坦所说的木头使我们想起了被柏拉图学派的哲学家们称为“第一物质”的东西，它是所有事物的没有区分的底物，是一种没有自己特点的、无形的、混乱的、模糊的物质。

几十年来，科学家们一直忠实于这块坚定的大理石，他们已经满足于宇宙常数以及它的几何非实体性。然后，有一天，也可能是一个夜晚，他们厌倦了扭曲时空的网格，他们穿过了代数的卢比孔河[1]。他们用自己的方法将hylé变成了一种可塑的材料，他们重新开启了丰富的本体论的潘多拉魔盒。于是，一个梦幻般的、令人不安的想象的力量被释放了，这个想象是关于最后一个也是最强大的黑色形象——黑暗。

---

1 法语为 franchir le Rubicon，卢比孔河位于意大利北部。公元前 49 年恺撒曾越过此河，同罗马执政官庞培决战。因此这里的意思是绝对采取果敢的行动，破釜沉舟。

只需进行简单的数学操作——通过将一个代数术语换到等式的另一边来改变它的符号——就可以让它的含义完全改变。这是一种在数学中很常见的实验，通过对一个方程的术语进行盲目操作来获得进展。安德鲁·怀尔斯（1953—　）在他 1996 年的一次访谈中解释道，数学研究就像是在一个黑暗的房间中摸索着探测：“你走进一间房间，你处于黑暗中，完全的黑暗，你偶尔会撞到家具，然后，渐渐地，你知道家具的位置了，最后在大约六个月后，你找到了灯的开关。”另一位伟大的数学家将它比作探索被黑色面纱覆盖着的景观：“这个黑色时期标志着一个数学家踏入未知领域的第一步，这通常是周期的第一阶段。在黑色之后，出现了一道小小的微弱光芒，这让我们觉得某件事情即将发生。”（赛德里克·维拉尼，《有生命的定理》，264 页）数学家非常清楚如何驯服黑暗。只有当他在黑暗中停留的时间过长，他担心在夜晚错过了一个岔路口，或是冒险走上了一条什么都没有的路的时候，他才会预感到有问题。当所涉及的不再是纯粹的数学时，在物理学上呈现出来的也将完全不同。因为即使在最理论化的物理学中，针对符号的某一项操作也会导致难以理解的形而上学的结果。于是，将方程式中的一个端边转换到另一个端边，可以将宇宙常数转化为一种神秘的暗能量，反之亦然。

“暗能量”是对 dark energy 这个短语最常见的一个译法，这个短语是德雷甘·亨特和迈克尔·特纳于 1998 年提出的，用来表示宇宙膨胀加速的可能原因。在法语里，形容词“黑暗的”和“能量”并列使用，与我们之前研究的案例相比，这个形容词包含着创新的意义。它不仅仅指探测的难度，还指出了我们对所说现象属性的无知：在暗能量的作用下，我们真正陷入了黑暗之中。以至于为了确定这个现象的属性，去参照与这种“能量”截然相反的东西，即与万有引力相反的斥力。于是“黑色”具有了一种前所未有的含义，它既是隐喻性的——表示认知的缺乏，也是思辨性的——表示纯粹否定定义的黑暗。哲学家和神学家知道这个短语，它通过列举自己不是什么来定义一个形而上学的实体——它是负面本体论的修辞。在承认理性已经达到极限，以及理性会出现无法表达或出现错觉的情况之前，这个方法一直被认为是最后的手段。

所以，能量的黑暗是神秘的。它标志着意义的反转：暗能量是与引力相反的能量。它的消极性使得它在某种意义上类似于黑弥撒的黑暗，黑弥撒是邪恶的仪式，其中使用的祝圣象征被认为是一种用来乞求魔鬼的亵渎和颠覆。这个黑暗的关联，理性的人对此嗤之以鼻：暗能量与巫术中使用的邪恶图像毫无联系……我们确定吗?

黑暗的教训

我们所讨论的能量仍然具有令人生畏的控制力：相较于其他宇宙力量，它逐渐占据上风，并迫使物质在无限延伸的宇宙中被稀释。从长远来看，星系间的距离是如此遥远，以至于它们将像孤岛一样漂浮在无边的黑暗海洋中。我们不再可能知道其他世界的存在，因为它们被推到视界以外的空间，甚至关于宇宙的概念已经消失或只是一个神话。这些黑暗的梦纠缠着被拖入关于暗能量的想象旋涡的人。它把整个宇宙都推向末日的黑暗。黑暗象征着宇宙的夜晚，一切未区分的、恐怖的事物。以米尔恰·伊利亚德（1907—1986）为代表研究这些象征的专家表示，黑暗不是具有完全否定意义的，它们具有潜在性和丰富的根源。《圣经》上讲，上帝是从原始的黑暗中、在孤独和混乱中、在混沌中创造了世界。但是这里说的黑暗出现在世界之前。相反，暗能量就像一台黑暗的发动机，开始时它的影响无关紧要，但随着时间的推移，它的影响力不断攀升。我们所说的黑暗并不是指对原始黑暗的想象，而是对最后的黑暗的想象。伊利亚德在关于"古老宗教中黑暗的象征主义”的研究中强调了这个极性：黑暗象征着一切先于存在出现的东西，它象征着无尽的虚无——它们类似于原始的混乱，在这混乱中任何形式都无法被分辨，在这个存在的前个体阶段，任何存在的结构尚未出现——但它们也象征着世界湮灭之后的一切，当个体重归枯燥的空洞，与虚无无异时，黑暗在个体消失之后仍然存在。受到暗能量影响的黑暗属于最终的消极的一面。如果它们不是“乌有”，它们仍然象征着存在的不可能性和世界末日。

谁会杀死宇宙？

和巴什拉一样，伊利亚德拿黑暗的流动和水的流动性做比照：世界的坚固程度并不比一颗孤独的水滴更高，接下来，很可能就会蒸发不见。此外，神话对创造世界的描述，就像一座由水构成的岛屿的出现，注定像未来的亚特兰蒂斯一样重新回到水元素中。亚洲、大洋洲和美洲印第安人的宇宙起源说用一些类似于饕餮的形象来描写黑暗向光明转变的过程：饕餮是一种黑色的怪物，阳光或一个发光的孩子从怪兽的嘴中逃脱出来。然而，这个噩梦一定会在我们生命结束时再次来到我们身边，古老的宗教会赋予这个中止我们生命循环的黑色怪物一个名字。但是，在末日的最后，那个将整个世界吞噬在自己黑暗的口中的怪物，我们又应该怎么称呼它呢？在某种程度上，宇宙学家已经开始了针对黑暗的征程，因为他们想要解开这个谜团。只是看到宇宙正在死亡对他们来说是不够的，他们想要知道是谁杀了它。正因如此，他们对暗能量的探寻让我们想到了黑小说当中的某个情节。

“黑小说”这个词组代表了两种不同的文学种类：一种是出现于18世纪英格兰的哥特小说（代表作家有霍勒斯·沃波尔、玛丽·雪莱等），在这种小说中会突然出现一些可怕的生物；另一种是“一战”后美国的侦探小说（代表作家有达希尔·哈米特、雷蒙德·钱德勒等），其中叙述了“辣手神探”浑水摸鱼式的调查。事实证明，对暗能量的探寻使我们想到黑暗的两种形式之间的结合——梦幻和罪恶的结合。

研究宇宙膨胀加速的物理原因，有时会让我们想起一个包含很多叫不出名字的怪物的恐怖故事。大量的假设会带来一个奇怪的本体论：一些理论家提出了“幽灵能量”的概念，这个能量有一种奇怪的特性，在宇宙膨胀期间它的密度会增加，就好像随着恐怖故事的发展，阴影会变得更厚一样。其他天体物理学家之所以给出“第五元素”这个命名，是因为它与四种已知形式的物质能量截然不同（重子物质、光子、中微子和暗物质），这样的命名方式与恩培多克勒和古代炼金术士将以太看作不同于火、水、空气和土地的第五元素的方式类似，但是如果物理学家对恩培多克勒的宇宙起源说有更多的敬意，他们应该将它称为“仇恨”，因为这是分离一切事物的力量的名称：“仇恨所引发的斥力会将每个人分别带走。”（《斯特拉斯堡誓言》）当量子真空的能量被用来解释暗能量时，它通过将广义相对论和量子力学进行融合，建立起微观宇宙和宏观宇宙之间的联系。另外，暗能量会让我们想起“力量阴暗的一面”。还有其他一些更加“骇人听闻”的假设，但没有一个令人满意。尽管有很多线索，但关于暗能量本质的研究却令人沮丧和不知所措。

因此需要提到的是，美国的黑小说，属于“黑色系列”的小说，也不同于经典的解密小说，因为它无法保证有一个美好的结局。更糟糕的是，甚至无法保证谜题在最后被解开了。有时主人公失去幻想，跟踪失败，让罪犯逃走……悬念达到了顶点。我们对暗能量的遐想可能会变成对一种难以捉摸的存在的追寻。但是我们不应该这么快就丧失信心。在想象中，我们的调查几乎不用关心隐藏在黑暗中的事物是否存在。我们只要相信它们在就可以了。因此，我们要找到一个假想的事物，它就是我们要寻找的罪魁祸首：一个黑色的、强大的、不吉利的事物，是它导致了世界的黑暗，它还能让光明化为乌有。

众所周知，北欧神话的特点是总会以一场巨大的战斗收尾，最后几乎所有的神、巨人和男人都会死亡，这被称为**诸神黄昏**。战斗之前有三个没有太阳的冬天。第一次提到这个世界末日是在《诗体埃达》（13 世纪）中：芬里厄狼以及它的儿子哈提和斯库尔分别吞噬了星星、太阳和月亮，让世界陷入黑暗。因此，芬里厄狼是理想的嫌疑犯。当它被北欧诸神收养时，它还只是一只小小的狼崽，然后它开始**迅速地长大**。当北欧诸神得知它会毁灭神族时，他们认为要锁住它，他们使用的链条是黑暗精灵用一些不再存在的物质制成的（猫的脚步声、女性的胡须、山的根、鱼的气息等）。被主人欺骗，被捆绑到时间的尽头，我想我们可以理解芬里厄狼为什么会积累一股可怕的报仇欲望。杀死奥丁，吞噬星斗的芬里厄狼是理想的罪犯。

但是这里有几个细节不太说得过去……首

先，芬里厄狼不是黑色的，它是灰色的。如果说黑色是北欧众神中某一个人物的特点，那么它应该属于夜晚女神诺特——巨人纳尔弗的女儿。她乘着一匹黑马拉着的二轮车遨游天空，在她之后，她的儿子白昼之神达古给大地披上玫瑰色的光辉。她一点也不像罪犯。因为这黑暗在北欧人看来与邪恶无关，如我们之前所说，奥丁的两只乌鸦就是黑色的。其次，《诗体埃达》中攻击芬里厄狼的证词并不是非常可信。它是很晚才被一位冰岛的牧师撰写出的，此时多神教在面对基督教的挑战时已经失去了自己的阵地，里吉斯·博耶认为这个作者怀有偏见，他难道不是要摧毁所有的异教神，以表示旧信仰的时代已经结束了吗？他难道不是因为受到《圣约翰启示录》的启发吗？所有这些都表明，芬里厄狼的罪行可能已经被完全夸大了。

换句话说，这可能是一个诽谤性的谴责。要解决这个疑问，应该决定宣告芬里厄狼无罪。

那其他的嫌疑人都有谁呢？在埃及诸神中，巨蛇阿波菲斯是黑色的，是在一天结束时吞噬太阳的躁乱化身。它应该去承认被指控的罪行，因为它非常想要吞噬太阳。但是所有的证词都描写到，太阳神拉在赛特的协助下，将巨蛇打得落花流水，它最后甚至被猫女神芭斯特切成碎片。总之，它尽可以自吹自擂，每次它都会遭到重击，只有在日全食期间才能短暂地占据上风。然而，埃及神话给出的线索并不止于此，因为人们可能会有疑问，阿波菲斯是否只是用来转移我们对另一个更强大的神的怀疑，真正的罪魁祸首难道不是赛特吗？他有一张黑色的嘴；据说他是“力量之主”；他娶了死亡女神奈芙蒂斯；他杀了自己的兄弟欧西里斯，并把他的手下驱赶到世界的各个角落；他还娶了狩猎女神阿娜特和爱的女神阿斯塔蒂；他还迫害他的侄子荷鲁斯；还有传说讲到，阿波菲斯不是他的敌人，而是他的伙伴！赛特这个阴谋家让大家相信，他要对抗黑暗的力量，并将攻击阿波菲斯的行动推给太阳神拉，于是他秘密地策划了黑暗战胜太阳之光的最终胜利。

赛特是如何回应这个指责的呢？首先，他不是黑色的创造物：我们称他为“红色之神”。其次，他有很多美德的表现：对拉美西斯皇室来说，他是一种残酷的却非常积极的力量。最后，他声称是因为这种以貌取人使他受到不公正的对待：他是外族人和红发人的神，他掌管着沙漠的干旱和贫困、雷声和闪电，以及一切打破了既定的秩序和受到迫害的东西。他是双性的神，是长着豺的头的神，是未被赏识的神。总之，他打乱了所有这些线索，由于缺乏证据，我们也只得宣布他无罪。

下一个要传唤的嫌疑人是古希腊神话中的黑夜女神倪克斯，她就住在案发现场——“东方的边界”，世界的尽头。但她有一个不在场的证据（她经常旅行），并且她没有力量获取众星的权力。事实上，神话中的任何造物都是没有力量的

（或者应该说是抵消的力量，因为我们要体现的是反重力）。再多的寻找也是徒劳，我们无法在神话中找到一个能够象征最终黑暗的有力形象。

实体的迷幻

让我们回到出发点：对能量的拟人化是不是一个错误的路径呢？是否不知名的宇宙常数才是真正的罪魁祸首？一旦宇宙常数的数值发生变化，它就会加快宇宙的缺失。可是它太抽象了，没有物质的相关性，这打消了我们的疑虑。只要它始终属于爱因斯坦方程式中的几何部分，斥力的来源就是宇宙本身的内在结构：这意味着它就是如此，我们并不知道其原因。这就是为什么它没有给假想的投影留下太多空间。因为我们很难幻想宇宙视界之外的东西。

在我们的认知中，只有一种空想可以在宇宙视界之外冒险，那就是新柏拉图学派的空想。这个空想是令人起敬的、复杂的、思辨的，它塑造了自己的概念来驯服无限的扩张力量，并像爱因斯坦为永恒宇宙设定极限一样。然而，它像新的起点一样适应着我们追寻暗能量的宇宙学遐想，因为随它而来的是关于“流射”的记述。在歪曲某些规律的情况下，流射可以提供一种想象的叙述，这个叙述能够紧跟宇宙学的发展，或者回归到宇宙学。但是你必须知道：将新柏拉图学派提升到第一个原理是很困难的，并且关于流射的叙述与科学模式一样抽象。

普罗提诺（205—270）、普罗克洛（412—485）和达马修斯（460—537）等人创立了新柏拉图学派的“空想”。这些哲学家是这样进行思考的：要解释某一个事物，即解释为什么事情是这样的，必须找到其中的原理。但是我们只能在更高的现实等级中找到这个原理。这种自下而上的方法创造了“实体”的等级制度，这些实体都是更低等级的现实的原理。在普通语言中，动词“实体化”是将一个动作名词化（例如，当我们说“喝的和吃的”[1]），但是在哲学语言中它具有贬义的意味，特别是自从康德强调“仅仅因为从逻辑上需要某个事物来证明另一个事物的存在，就假定这个事物是存在的”，这样的实体化是不合理的。

康德认为，每当我们将假设的必要性转向对实体的确定性时都会发生误解。例如，当一些天体物理学家把暗能量看作是观察到的现实时，它就被实体化了，而事实上它只是一个解释扩张加速的假说。

如果现在实体的概念会引发认识论的一些怀疑，那么古老的新柏拉图学派的形而上学毫无保留地表现出它对逻辑和目的论的信赖，而目的论就是为了解释一个事物的存在而假定另一个事物的存在。因此，为了解释自然生物的形式，就要假设它们拥有“灵魂”，一个赋予它们生命的本源。再比如，星体运动的圆形轨迹服从于与它们

1　法语中在表示喝和吃的动词 boire 和 manger 之前加上定冠词 le，就将这两个动词名词化了。

静止的代蒙[1]相符合的愿望(因为圆周运动是最接近静止的运动)。心灵，也就是所有灵魂构成的整体，是我们在上升过程中发现的第一个实体。并且在所有的灵魂中，最高级和最重要的当然是“世界魂”，它可以调节整个宇宙的呼吸节奏。然而，如果没有更高级的、永恒的并且完全清晰可知的实体来确保时间变化中它们身份的统一，人们就不会理解灵魂在时间和空间中如何起作用。第二个实体是超越了时间和空间的上帝（希腊语中称为逻各斯），它将所有心智的存在汇集在一起，而这些存在中最重要的不是神，而是数字。其中最基础的是“一”，因为它统一了所有数字和所有其他的存在（从专业性的角度来讲，存在着两个“一”：一个是“统一”，通过不断的求和来产生其他数字；另一个是真正意义上的“第

1　希腊语 daimon，在古希腊神话中它是一种介于神与人之间的精灵或妖魔。它们不具备人的外貌，而是一种善恶并存的超自然存在。

一”，它让所有数字拥有自身的单位数，比如，五个这样的单位数就是一个数字，也就是5)。

看到这里，你是不是觉得有些复杂和抽象，甚至还有些晦涩难懂？普罗提诺的推理并不止于此：所有的存在构成了上帝的实体，但是上帝又是如何保持他的统一性呢？当然不是通过我们刚提到的“一”，因为它只是一种本质。即使它是所有数字中最重要的[1]，它也无法从上帝那里独立出来以适用于一切。在新柏拉图学派的思想中，存在一种尊重，这种尊重针对的是逻辑的严谨性、定义以及避免集合理论内部发生矛盾问题的层级区别：“一”不可能成为它所在集合的统一原则，就像数学中没有“所有集合的集合”一样。存在之所以不能构成它的统一性，是因为在存在之前有一个非常重要的实体，这个实体是所有存在的来源，也是所有存在统一性的原因。通过这个基础原则，我们甚

---

1 原文中使用的是拉丁片语primus inter pares，字面意思为“同僚中的首席”。

至不能说它是（或者不是），因为这会误解它的属性，并且把它描述为一个存在。普罗提诺将最高级的实体称为“太一”，因为它赋予了上帝统一性，并且它身上不存在任何存在或灵魂多样性的痕迹。

至此，上升的过程完成了，关于流射的故事就可以开始了：“太一”流射出上帝。然后（但是这里并不是按照时间的顺序来排列，因为此时时间还不存在），上帝有着内部的“行列”，创造出连续的数字，然后创造出所有的存在，直到他产生了关于灵魂的想法并让灵魂充分流露，于是他创造出一个时间中的现实：心灵。心灵是所有灵魂的整体，在时间和空间中赋予自然以生命，而自然则赋予物质以生命，但心灵本身不再是任何事物的起源。因此，围绕着我们的物质的东西，是最后的、最低的现实，而这些现实再向下，会碰到最低的底限，也就是“第一物质”，它是一种没有任何特性的无形物质，因为它只是所有形式的消极容器，除此之外几乎什么都不是。

关于流射的故事具有很强的逻辑严密性，它将造物神的所有独断的干预全部排除在外。“太一”对于任何神灵来说都是最高级的实体：它是所有人类尊奉的神的起源（这些神都只是一种存在）。关于宇宙常数的想象，无论对于神正论还是对于宇宙起源说来讲，都可能是新柏拉图式的。但它可能是一种颠倒的、曲解的新柏拉图主义，黑色的新柏拉图主义……因为黑暗属于无形物质，不属于“太一”，而从隐喻的角度看，“太一”比其他一切感性的事物都要更接近光的无法触及的美。普罗提诺拒绝将一股能够打破宇宙永恒和谐的力量实体化。他可能会坚定地与爱因斯坦站在一起，要建立一个静态的、永恒的美丽宇宙。暗能量的斥力推翻了流散的动力，抛弃了流散的动力，也超越了限制。普罗提诺关于流射的叙述并不能抵挡加速扩张中宇宙常数的翻倒。

然而，新柏拉图学派的形而上学依然有应对的方法。它可以向上追溯到一个可以超越所有限制的起源。在普罗克洛的《神学要旨》中，最高级的实体被称为“无限的力量”(apeiron dynamis)。其中 apeiron 意味着“无限的”，无限让我们想到了暗能量的扩张力量。但是让我们困惑的是，普罗克洛还将 apeiron dynamis 称为“第一物质”，而它没有结构和同一性。因此，力量有两种“无限的”物质：抑或是一种绝对的超力量，可以流散出所有的存在；抑或相反，是一种绝对的消极性，丧失了所有的性质。这个体系被挤压在来自上方的无限力量与来自下方的无限力量之间。当然，宇宙的永恒不受质疑，但是在这种极性中，我们难道找不到一个和暗能量相匹配的形象吗？在当今的宇宙学中，我们的研究从一个无限的力量到另一个无限的力量，从“大爆炸”到化为灰烬的宇宙。暗能量的形象是颠倒的流散，变为退化。

如果我们有了这样的想法，恐怕就停不下来了。因为无限力量的巨大差异不是新柏拉图主义中最后的黑暗形象。达马修斯达到了提问的最高形式，只有他敢于提出这个问题："起源的起源是什么？"他将逻辑推理推向了极限，甚至可能超过了极限，换来的是巨大的难解之谜。用米歇尔·德菲斯（1070—1140）的话说，它"像墨一样黑"。事实上，达马修斯仍在理性的范围内做推理，他创造了如纯酒精一般绝对的、令人晕眩的形而上学，也就是黑色的形而上学。

他断言，宇宙，作为事物的"一切"，一定是有起源的，而这个起源不属于"一切"。那么，它是什么呢？这很难说，因为我们能够想到的都一定是属于"一切"的某种东西。但至少，我们可以说它不是什么（这里是否定的本体论的修辞）：这个起源不是自然，不是心灵，不是上帝，因为它们都是"一切"的一部分。它也不是"一切"本身，因为显然我们无法是自己的起源。它甚至不是普罗提诺眼中的"太一"，虽然"太一"由于其单一性，是最接近的。它之所以不是"太一"，是因为"太一"与它所赋予统一性的东西不同，所以它的定义是通过它与“一切”的关系来确定的。甚至普罗克洛的无限力量也是通过它与自身之外的东西，也就是极限，来确定的。而我们要找的是一个绝对的起源。

必须承认，所有这些否定与绝对起源的本质都没有关系。达马修斯认为这样很好。因为归根结底，当我们对绝对的追寻行将结束时，在我们眼前的一定是无法形容并且不可知的事物。我们要接受的是，思想会消失，会堕入深渊，会陷入“乌有”。“太一”是一个美丽的、简单的、纯化了的概念，但是真正的绝对必须摆脱所有的感知，即使是最崇高的思辨。然而，除了虚无，还有什么能摆脱所有的思想呢？有两种形式的“乌有”：一种是高于“太一”的“乌有”，另一种是低于物质的“乌有”。达马修斯延续了普罗克洛的解决方法：虚无比无限更使形而上学无所适从。人们也能感到，他的话语近乎黑暗中和沉默中的神秘的崩溃。仿佛这最后一位新柏拉图主义者，冒着极大的风险，使用最后的自卫手段，完成了他关于千年的形而上学的最后探索，之后这个空想就会回归沉默，被名为“自我的起因”的造物神的宗教而摧毁——柏拉图学园屈服于庸俗宗教的迫害，这些宗教几乎不受逻辑限制或严密思辨的约束。这可能是我们应该从中吸取的教训：过度地寻找绝对的形象，我们可能会通向虚无，而错过了一种并非难以捉摸的思想和知识。

不必失望：并非一切都是黑色的！

在电影《穷途末路》中，珍·茜宝问让－保罗·贝尔蒙多：“在悲伤和虚无之间，我选择悲伤（此处引用自威廉·福克纳的《野棕榈》），你呢，你会怎么选？”这个问题象征着想象精神分析师在面对暗能量之谜时的困境：他要么开始对难以捉摸的怪物进行绝望的追寻，要么继续寻找难以接近的起源直到虚无。在这部黑白电影中，男主人公选择了虚无，因为在他看来，悲伤似乎是愚蠢的妥协（这也预示了他悲惨的、“可憎的”结局）。

我们难道不能摆脱这个困境吗？我们难道不能摆脱黑色形象的束缚吗？在这个抉择中存在着某种过于阴暗的东西，我们会毫不迟疑地接受它。此外，一些天文学家和天文物理学家发现了第三种途径：如果我们放弃宇宙中物质均匀分布的假设，那么我们可以用透镜效应，即光学意义上的“像差”来解释膨胀的加速。法国物理学家洛朗·诺塔尔（1952—　）提出的相对论理论不必假设暗能量的存在就可以解决这个谜题。于是，我们不再需要寻找罪魁祸首了。宇宙找回了一点自己的色彩。诗人雅克·利达（1929—　）在他的一首美妙的科学诗歌的末尾写道：

然后呢？宇宙逃亡了吗？

它在躲什么？会逃去哪里？

怎样的永恒的祸患？怎样的胜利的结果？

坚定地说，它就在这儿，法则以外。

暗能量，应该被染成粉色。

结语　黑色的统治

在我们对黑概念研究的最后，我们学到了什么？首先，好像这个对话让这些论说更加清楚明白。哲学家的关注点在于形而上的，甚至是陈旧的顾虑，或者在于艺术和思想史中出现的一些细微差异，并提醒物理学家在翻译概念时对于词汇的选用要格外谨慎，同时纠正那些有悖严格推理的含糊表达，或者要求我们更加勇敢、更有诗意地了解科学思想的独特之处。哲学家将关于起因的认知编制为隐喻，物理学家觉得哲学家的建议非常有必要。

我们惊讶于概念和图像之间的各种回响，它们的衔接中没有绝对的规则。将它们写在一起，我们发现了一种距离的艺术。只有这个既凭直觉的又能精确计算差距的研究才能使科学与想象之间的类比产生共鸣以及不协调。这个差距是可变的：认识论的线和“精神分析”的线很少是平行的，它们更像是欧几里得的短程线；它们会在接近自己的目标时发生扭曲；通常情况下，它们会伸展、延伸；有时它们交织在共同的惊叹中，或是讽刺般地出现分歧。然而，这些纵横交错并不是任意的。这个对话开启了一种写作，在我们看来，这种写作超出了普通的模式练习。

黑色的渐变表现出一种渐进，这种渐进具有一个意义：从我们所熟悉的夜空的黑色到最神秘的黑色，能够解释宇宙膨胀加速的未知能量的黑色，对黑概念的回顾是一段历史性的旅程。这个回顾告诉我们关于给它命名的科学实践的演变（我们也可以说是关于给它“定性”，因为它是一个形容词）。与我们有时所听到的相反，科学语言独立于普通语言之外，是建立在惯例的基础上的，这一事实并不意味着这些概念是中立的，或是对于理解这些概念来说是微不足道的。相反，对这些词语的选择非常重要，是科学工作不可或缺的部分。同样明显的是，这些关于命名的实践在科学史中发生了相当大的变化，特别是近几十年来的加速发展。与此同时，关于它们的不可改变性也出现了深刻的改变。

对夜空的黑色的解释是一个可能早就引起古代天文学家猜测的问题。在过去的几个世纪中，这个谜题的答案随着知识和技术进步的节奏发生了变化。“黑色夜空的问题”这个短语本身是比较近期才出现的，这个叫法已经失去了神秘的色彩。然而，在日常观察的显而易见以及对普通语言的借用背后隐藏着一个棘手的问题，以及对一个透明黑色的单一定义。这是关于意义缓慢的历史积淀的例子。

“黑体”这个短语经历的情况则不同，它体现了一个完全不同的时间性。1860 年，古斯塔夫·基尔霍夫在有了关于“黑体”的认知的同时就创造了这个短语。他用一种类比的手法将研究对象命名为“黑体”：一个完全是黑色的物体是一个理想的吸收体（因此也是理想的发射体）。于是它从根本上改变了这个形容词的意义，来满足科学语言的精确性要求。这个黑色的产生是瞬间的，并与它表明的理论模式紧密联系在一起。因此，它也与它提出的问题相联系，并且在不到半个世纪的时间里，就引起了一场科学革命，也就是量子力学，一场近年来为大众所熟知的思想认知的巨大震荡。通过研究它与当代艺术带来的冲击之间的共鸣，我们想要强调指出这场发生在20世纪的思想变化的突然加速。

“黑洞”这个词的出现和传播标志着一个命名实践的变化、一个创新。这个概念的由来相对比较古老，很长一段时间以来，人们关注的只是封闭的恒星，后来是“史瓦西天体”。事实上，它甚至只在科学界的很小的范围内引起过讨论。

尽管这个封闭的星体拥有着古老的魅力，但它并没有引起大众的兴趣。“黑洞”这个词，很难确定是谁第一个使用它的。但是在1967年，约翰·惠勒选择用它来重新命名这个之前就存在的思想，他刻意进行了一个秘密的营销操作：一种语义设计。他创造了一种旨在强调一个概念的表达方式，他从概念的理论意义出发，同时利用了虚构的突出性。这个方法获得了奇迹般的成功：他的同事们将注意力集中在了黑洞上，科幻小说中出现了黑洞的主题，日常语言和普通文化也出现黑洞的渗透。

由于20世纪下半叶科学研究成为一个竞争激烈的领域，这种有效的语言设计的方法成为一种战略的必要性：只有一个巨大的发现是不够的，还要给这个发现取一个引人关注的名字，来保证它在研究领域，甚至研究领域之外的影响。从这个角度来看，我们必须分析著名的暗物质和暗能量的出现。

通过这些著名的概念，我们在命名方法的演变中闯过了一个难关：我们要做的不再是尽快地利用一个发现，而是提前利用一个假设所带来的收益，即未来发现的成功前景。因此这个表达有助于为学界带来一个并不一定被所有人接受的想法：一些科学家将这些与黑有关的概念描述成现实，它们的黑只是意味着这些物质无法被观察到而已；而另一些科学家将这些概念看作思考的气泡，在面对它们时始终保持谨慎的态度。记者肖恩·卡里尼基曾说："在科学世界中有一种有趣的用法，当你无法解释或描述某个东西时，在常用的单词之前加'黑'或'暗'，就成为一种完全正确的表达。"(《技术解密》,2012年6月20日)下面这幅漫画揭示了目前研究中过度的竞争所造成的问题：它会导致对命名仓促的、具有欺骗性的一种使用，而不是对概念的含义做耐心而忠实的解释。

我们可以举出关于这种偏差的其他例子，只

图 10. 比尔·沃特森，《永远的卡尔文和霍布斯，第四册，1992—1995》，安德鲁斯·麦克米尔出版社，2012 年，49 页（第二条）。

限于关于黑概念的例子：形容词“黑色的”特别适合这些炫耀语义设计的做法，这可能体现了社会的一种需求。过去，黑色并不像现在这般有吸引力，即便它指的是想象中的一个迷人的元素，它在过去总带着一些与不良思想相关的联想。在文化中，黑色曾是被谴责的对象。而在现代，黑色成为主宰，黑色被高估，被过度使用，这尤其表现在服装设计中：“设计当中的黑色既不是几个世纪前的王族的豪华的黑色，也不是大工业城市里肮脏的悲惨的黑色，它是一种既朴素又精致，既高雅又实用，既欢乐又明亮的黑色，总之它是一种现代黑色。黑色是时髦的、有创造性的、严肃的，并且具有主导地位的。”（巴斯图罗，《黑色》，189 页）黑色既象征着美丽与高雅，又象征着端正和朴素。

我们要强调关于术语“暗物质”和“暗能量”的一个更令人不安的事实：在法语中，这两个术语并不存在。在英语——这个在科学讨论中占据主要地位的语言里，形容词“黑色的”（black）并不适用于这些概念：盎格鲁-撒克逊人更愿意研究的是“昏暗的物质”（dark matter）和“昏暗的能量”（dark energy），德语也是如此：dunkle materie，dunkle energie。对于一位意大利研究者来说，他研究的是“模糊的物质”（materia oscura）和“模糊的能量”（energia oscura）。因此法语的语言特殊性显而易见：法语是唯一将这些概念“黑化”的。为了完全正确地表达，这些术语有时与“昏暗的物质”和“昏暗的能量”共存。因此我们有时通过“昏暗的物质”这种表达来描述那种难以被探测但被猜想为传统属性的物质，“暗物质”这个表达则用于描述完全外来的物质。然而，基本上还是与“黑暗”有关的术语在很大程度上占据着主导地位，似乎坚持使用包含“昏暗的”术语的研究人员正是对这些概念持怀疑态度的那部分人。

这增加了我们思考在科学语言中黑色所传达的想象内涵的兴趣。黑概念的吸引力并不是某种偶然，而是这些思想会将黑色形象激发出来。将一个思想概念界定为“昏暗的”或“模糊的”，是为了明确指出探测的困难，同时也强调了我们为描绘这种现象特征所面对的理论尴尬。从这个意义上讲，加上“dark”这个形容词的确可以使这些思想更准确，因为这个形容词会让我们提高警惕。在莎士比亚的语言中，或者在我们的语言中，某种昏暗的东西，从喻义上讲，就是难以理解的东西，甚至是灾难性的东西（一个黑暗的故事）。由于这层含义，暗物质或暗能量似乎是一些有风险的不太明显的假设，我们无法对此表示毫无困惑或者怀疑的赞同。通过将“dark”翻译为“黑”，讲法语的研究人员已经深刻地改变了这个名称的含义。他们把它变得更极端，并利用了法语中“黑色”这个词的象征意义。

黑的，就绝对是昏暗的，是无法探测的。通过把昏暗变成黑暗的绝对化，新的命名排除了一切与昏暗的图像相关的内涵，也就是说，它隐藏在面对这些思想时势必会产生的疑虑的迹象。物质的黑暗和暗能量的黑暗象征着一切被果断隐藏的事物，自相矛盾的是，这个黑色没有质疑这些假设，而是让我们更坚信它们的存在。在我们的想象中，黑色的存在比昏暗的存在更多。“实体化”创造了暗物质和暗能量，通过这种方式，缺失的质量和宇宙常数成为不容置疑的物质现实。于是科学家们给自己的思想套上了黑色的衣服，他们冒着一个风险，即他们可能会成功，也可能让黑色具有了另一种传统的价值，那便是丧服：“我们这个时代的人们穿的黑衣服是一个可怕的象征……人类的理性推翻了所有幻想，也给自己穿上了丧服。”（阿尔弗雷德·德·缪塞，《世纪之子的忏悔》，1836年）

无论科学的进步给这些问题以怎样的回答，我们都相信历史认识论和精神分析理论提出的两个观点是相关的、互补的。它们让我们可以在面对复杂而棘手、困难而尖锐的问题时向后退一步，这些问题也总会牵扯到推理的严密性和不可避免的感性投入。将我们吸引到黑概念当中的，以及让这些黑概念弥足珍贵的，是代数和实验结构以及潜在丰富的想象符号所表征的错综复杂，正是这种错综复杂让它们如此富有魅力。因此我们需要更多的努力，使它们远离障碍，开展一个调整研究工作，并用一种批判和善意的眼光来看待它们。

给好奇者的暗黑物理学

[法] 罗兰·勒乌克
[法] 文森特·博滕斯 著
张芳 译

图书在版编目（CIP）数据

给好奇者的暗黑物理学 /（法）罗兰·勒乌克，（法）文森特·博滕斯著；张芳译．— 北京：北京联合出版公司，2019.3（2023.11 重印）
ISBN 978-7-5596-2616-5

Ⅰ．①给… Ⅱ．①罗… ②文… ③张… Ⅲ．①天体物理学—普及读物 Ⅳ．① P14-49

中国版本图书馆 CIP 数据核字 (2018) 第 216261 号

Les idées noires de la physique

by Vincent Bontems & Roland Lehoucq

Originally published in France as:
Les idées noires de la physique by
Vincent Bontems & Roland Lehoucq

本书插图来自斯科特·帕诺尔 (Scott Pennor)
北京市版权局著作权合同登记号 图字:01-2018-6415 号

选题策划　联合天际 · 边建强
责任编辑　杨　青　高霁月
特约编辑　黄丽晓
美术编辑　晓　园
封面设计　@broussaille 私制

未读 | 探索家

出　　版　北京联合出版公司
　　　　　北京市西城区德外大街 83 号楼 9 层　100088
发　　行　北京联合天畅文化传播有限公司
印　　刷　三河市冀华印务有限公司
经　　销　新华书店
字　　数　90 千字
开　　本　787 毫米 × 1092 毫米 1/32　7.5 印张
版　　次　2018 年 9 月第 1 版　2023 年 11 月第 10 次印刷
I S B N　978-7-5596-2616-5
定　　价　49.80 元

关注未读好书

客服咨询